¡Que se le van las vitaminas!

Divulgación

Últimos títulos publicados

D. Greenberger y C. A. Padesky, *El control de tu estado de ánimo*
L. Glass, *Hombres tóxicos*
J. James, *El arte de confiar en ti mismo*
J. E. Young y J. S. Klosko, *Reinventa tu vida*
F. Gázquez Rodríguez, *Mindfulness. El despertar a la vida*
T. Baró, *La gran guía del lenguaje no verbal*
J. Bustamante Bellmunt, *¿En qué piensan los hombres?*
D. O'Brien, *Cómo aprobar los exámenes*
G. G. Jampolsky y D. V. Cirincione, *Amar es la respuesta*
A. Ellis, *Cómo controlar la ansiedad antes de que le controle a usted*
J. Gottman y N. Silver, *¿Qué hace que el amor perdure?*
M. Williams y D. Penman, *Mindfulness*
R. Amills, *¡Me gusta el sexo!*
A. Rosa, *Hablar bien en público es posible, si sabes cómo*
T. Baró, *Guía ilustrada de insultos*
A. Ellis y R. C. Tafrate, *Controle su ira antes de que ella le controle a usted*
M. Haddou, *¡Basta de agobios!*
S. Budiansky, *La verdad sobre los perros*
R. Santandreu, *El arte de no amargarse la vida*
G. Nardone, *Psicotrampas*
G. Winch, *Primeros auxilios emocionales*
A. Payàs, *El mensaje de las lágrimas*
N. Mirás Fole, *El mejor peor momento de mi vida o cómo no rendirse ante una mala jugada del destino*
J. Teasdale, M. Williams y Z. Segal, *El camino del mindfulness*
T. Baró, *Manual de la comunicación personal de éxito*
P. Sordo, *Bienvenido dolor*
M. Bradford, *Transforma tu alimentación con Montse Bradford*
A. Broadbent, *Hablemos de la muerte*
S. Alidina, *Vencer el estrés con mindfulness*
M. Cahue, *El cerebro feliz*
G. Nardone, *El miedo a decidir*
E. Goldstein, *Descubre la felicidad con mindfulness*
J. Sués Caula, *Los 100 mejores juegos de ingenio*
C. Webb, *Cómo tener un buen día*
A. Sánchez, *Mi dieta cojea*
I. Navarro Álvarez, *Prepáralos para el futuro*
À. Navarro, *Pon en marcha tu cerebro*
D. Pulido, *¿Nos estamos volviendo locos?*
Dr. J. Axe, *Todo está en tu digestión*
M.ª C. Nardone, *La empresa triunfadora*
M. Priante, *Grafología para la selección y evaluación de personal*
L. Bancroft, *¿Por qué se comporta así?*
R. Luna, *Objetivo: ser tú mismo*
E. Gratacós y C. Escales, *9 meses desde dentro*
Ch. Fairburn, *La superación de los atracones de comida*
J. Burgo, *Narcisistas*
M. Garaulet, *Los relojes de tu vida*
A. Grant, *Originales*
D. García Bello, *¡Que se le van las vitaminas!*

10

Deborah García Bello

¡Que se le van las vitaminas!

Mitos y secretos que solo la ciencia puede resolver

PAIDÓS
Barcelona
Buenos Aires
México

1ª edición, enero de 2018
4ª impresión, mayo de 2018

© Deborah García Bello, 2018
© de todas las ediciones en castellano,
   Espasa Libros, S. L. U., 2018
   Avda. Diagonal, 662-664. 08034 Barcelona, España
   Paidós es un sello editorial de Espasa Libros, S. L. U.
   www.paidos.com
   www.planetadelibros.com

ISBN 978-84-493-3406-1
Fotocomposición: Pleca Digital, S. L. U.
Depósito legal: B. 25.089-2017

El papel utilizado para la impresión de este libro es cien por cien libre de cloro y está calificado como papel ecológico.

Impreso en España – *Printed in Spain*

Para Ana y Andrés.
Por la educación que me han regalado. Y por las risas.

El sueño de la razón produce monstruos.

FRANCISCO DE GOYA

Sumario

Introducción

Desde que tengo uso de razón he desayunado todos los días de mi vida con un zumo. Cuando vivía con mis padres y mis abuelos, solía ser mi abuela la que se encargaba de hacerlo para todos. Hoy en día es Manu el que se encarga de exprimir las naranjas por la mañana mientras me deja remolonear en la cama unos minutos más. Cuando lo tiene todo listo vuelve al dormitorio para despertarme con achuchones que huelen a naranja. Todas mis mañanas comienzan así. Soy una chica con suerte.

Tomo zumo de naranja por tradición, porque lo he hecho siempre y porque me gusta. Cuando alguien te prepara cada mañana un zumo de naranja es porque quiere cuidar de ti. Mi abuela me lo hacía para que tomase vitaminas. Esto era muy importante para ella, especialmente conmigo.

En los primeros años de mi vida me diagnosticaron anorexia nerviosa. No quería comer, no sabía qué era sentir apetito. Obviamente no había razones estéticas en aquello, porque era demasiado pequeña como para preocuparme por eso. Pero el caso es que no me gustaba comer. Recuerdo que masticar y tragar me producía asco. Mi familia lo pasó mal, temían que no creciese, que me faltasen nutrientes, y cada día era un suplicio darme de comer. Era habitual que acabase vomitando. Probaron conmigo todo lo que el pediatra les aconsejaba. Desde dejarme sin comer hasta que pidiese comida —cosa que no funcionaba—, hasta darme un fármaco que me abriese el apetito —que tampoco funcionaba—. La única manera con la que conseguían que comiese algo era obligándome a hacerlo, es decir, dedicando mucho tiempo y siendo muy pacientes conmigo.

Recuerdo estar una mañana delante de un desayuno especial, de esos que mis padres solo nos dejaban tomar un par de veces al año, y aquello me parecía un suplicio. Estaba con mi hermano viendo en la tele la serie «Oliver y Benji». Él ya hacía rato que había terminado de desayunar. Y yo estaba todavía en la mesa, mirando unas palmeritas de chocolate y pensando: «Qué asco esto de tener que comer». No me gustaba nada. Ni las palmeritas de chocolate ni las frutas ni la tostada de pan.

Un día mi abuela nos acompañó a la consulta del pediatra. Le dijo: «¿Por qué no nos das unas vitaminas para la niña?». El médico se negó en redondo. Yo tenía que aprender a comer. Era mejor que comiese poco a alimentarme a base de suplementos y pastillas. Además, había algo esperanzador. No comía casi nada, pero al menos sí tomaba los zumos que mi abuela me preparaba cada mañana. A regañadientes, pero los tomaba. Creo que por eso se compró una licuadora, para que al menos tomase algo más que naranjas exprimidas antes de irme al colegio.

En mi casa nunca se compraban zumos. Siempre se hacían. Esos zumos industriales, me decían, son solo azúcar. Obviamente, mis padres y mis abuelos eran mucho más sabios que yo, así que no se me ocurría ponerlo en duda.

Hasta que un día vi un anuncio de zumos en la televisión en el que no solo te decían lo fuerte que te pondrías, lo mucho que crecerías y lo listo que serías. Hablaban de azúcar. Decían que su marca de zumos no lo llevaba. Además, decían que no era zumo concentrado, sino zumo cien por cien exprimido. Con esta información en la cabeza, cuando fui al supermercado me di una vuelta por la sección de zumos. Me llevé una grata sorpresa al descubrir que no solo esa marca no contenía azúcar añadido, sino que prácticamente ninguna lo llevaba. ¡Aquello de que los zumos industriales son solo azúcar era un mito! Los zumos industriales también se hacen exprimiendo fruta. Aun así, seguimos con la tradición de preparar el zumo en casa.

Mi anorexia nerviosa fue desapareciendo con los años. A los siete ya comía de forma totalmente normal. Incluso llegué a convertirme en una sibarita de la comida o en una maniática de las formas, según se mire. Aprendí a manejar los cubiertos que daba gusto verme. Era de las que pedían lenguado en los restaurantes en lugar de milanesa. Para goce de mi padre, era de las pocas niñas que pedían cuchillo y tenedor para comerse un sándwich. Y así hasta el día de hoy. Disfruto comiendo y disfruto de los rituales del buen comer. A veces tanto que mis padres bromean con que sigo tratando de recuperar el tiempo perdido.

El zumo casero de por las mañanas tiene ese algo de ritual, ese algo de tradición y ese algo de sentirse querido y cuidado.

Hace ya tiempo que descubrí que aquello que decían mis padres y mis abuelos de que el zumo industrial es todo azúcar era cierto. Yo estaba equivocada.

Era fácil estar equivocada. No es excusa, pero mi razonamiento tenía lógica. Era tan simple como leer la lista de ingredientes del zumo y comprobar que el azúcar no era uno de ellos. Pues resulta que, cuando la Organización Mundial de la Salud (OMS) publicó su famoso informe sobre el azúcar, fue muy tajante con los zumos. Todos, sin excepción, con azúcar añadido o sin él, caseros o industriales, se metabolizan como si estuviésemos bebiendo azúcar. Al principio fui bastante incrédula. No tiene sentido que te recomienden tomar fruta, toda la que quieras y, en cambio, recomienden no tomar zumo.

¿En qué cambia que yo me coma una naranja a que la tome exprimida? Si además yo me bebo el zumo con toda la pulpa. No me lo podía creer. Eso tenía que estar mal.

Comencé a leer los estudios en los que se basaba esa recomendación de la OMS buscando errores, a buscar estudios que me diesen la razón, que concluyesen que el zumo casero, con pulpa, era tan saludable como comerse una naranja. Buscaba confirmar mi sospecha.

Hacer esto de buscar pruebas que confirmen nuestras sospechas hasta tiene nombre. Se llama «falacia de evidencia incompleta» o *cherry picking*. Lo que viene a decir esta falacia es que cuando queremos confirmar algo que ya creemos que sabemos, sin querer tendemos a fijarnos en las pruebas que nos dan la razón. Desde quedarnos con evidencias anecdóticas hasta seleccionar los resultados a medida para que confirmen nuestra hipótesis. Ni siquiera lo hacemos con una intención perversa de manipular la información a nuestro favor, sino que lo hacemos de forma inconsciente. Tenemos unas ideas preconcebidas y tendemos a buscar aquello que las confirme. Porque si son nuestras ideas, seguro que es porque nos parece que son las que tienen más sentido.

Pues eso mismo hice yo. Me marqué un *cherry picking* de manual para poder tomarme el zumo de naranja cada mañana y que fuese saludable. Pero no hubo *cherry picking* que valiese. Los estudios más recientes no me daban la razón. No tenía por dónde pillarlos para salirme con la mía. Y lo cierto es que la ciencia tenía una explicación para aquello, así que poco podía hacer.

Resulta que cuando hacemos zumo y exprimimos las frutas, estamos retirando gran parte de su fibra. Esto hace que lo metabolicemos de forma diferente, tan diferente que el azúcar naturalmente presente en la fruta se convierte, a efectos prácticos, en azúcar libre. Es decir, nuestro organismo no distingue el azúcar de un zumo de naranja del de una bebida de color naranja con azúcar. Esto se ha medido. Y si se ha medido no hay vuelta de hoja.

No existen restricciones por parte de la OMS con respecto a la cantidad de frutas que podemos consumir. El azúcar que contienen sí es necesario para nuestra salud. En cambio, en cuanto exprimimos estos alimentos, ese azúcar deja de ser saludable. Por eso lo ideal es comer fruta, no beberla. Y en el caso de que queramos beberla, una opción saludable es tomarla como un batido, cogiendo la pieza de fruta entera y pasándola por la batidora. De esta manera no dejamos de consumir la fibra que contiene.

Hay otro factor que debemos tener en cuenta: la saciedad. Tranquilamente podemos tomarnos un zumo de naranja hecho con tres naranjas. El que me tomo yo cada mañana las lleva. En cambio, ese zumo no me sacia lo mismo que si me comiera esas tres naranjas. Probablemente ni siquiera fuese capaz de hacerlo sin empacharme cada vez que desayuno.

Las calorías que ingerimos bebiendo son las mismas que comiendo, masticando, pero no nos sacian de la misma manera. Por eso es tan importante tener en cuenta no solo lo que ingerimos, sino cómo lo ingerimos, nuestra conducta alimentaria.

Pero no hay que ponerse tremendista. Esto no significa que el zumo sea algo que obligatoriamente tendríamos que desterrar de la dieta. Lo que significa es que no debemos creer que tomar zumo es algo saludable, lo que es muy diferente. Tomar zumo es una forma de tomar azúcar libre, no en grandes cantidades, pero es azúcar libre igualmente. Es algo placentero, no saludable. Y que algo sea placentero a veces es la mejor razón de todas.

A pesar del azúcar, también nos aporta los beneficios de las vitaminas. El zumo no es el alimento más saludable del mundo, ahora lo sé. Y realmente eso es lo importante, saberlo, y con esa información hacer lo que te dé la gana.

Tras descubrir todo esto seguí tomando zumo cada mañana de mi vida. Para mí es mucho más importante lo rico que está, que sea para mí una tradición, algo que representa a quien me quiere y me cuida. Y no voy a dejar de tomarlo nunca. Sirva esto de declaración de intenciones para el resto de mitos que vas a encontrarte en el libro que tienes delante.

Ni loca pienso perderme el olor a naranjas de los achuchones que Manu me da cada mañana.

1. A mí me funciona la homeopatía
Mitos de la medicina

La primera vez que leí la palabra *homeopatía* fue en 1999. Tenía quince años. Mi madre, ávida lectora, tenía entre sus últimas adquisiciones literarias una novela que me llamó la atención por motivos triviales pero suficientes: un título paradójico y una ilustración de cubierta tan atrayente como desagradable, con una boca abierta como las que yo solía dibujar entonces, con los dientes gordos y maltrechos. Tuve que leerla, a pesar de que mi madre me advirtiese de que no era un gran libro. No recuerdo el argumento de la novela, pero sí alguna escena muy concreta, y que el personaje principal, un perdedor, un hombre agotado de vivir su vida, emprendía una aventura amorosa con su terapeuta. Su terapeuta era una homeópata. En mi imaginación aquella mujer era algo así como la conjunción entre una psicóloga y una farmacéutica. Imagino que la descripción del personaje me llevó a imaginármela así.

Por aquel entonces yo no sabía qué era la homeopatía. Primero lo busqué en mi diccionario escolar. Decía: «Sistema curativo que aplica a las enfermedades, en dosis mínimas, las mismas sustancias que, en mayores cantidades, producirían al hombre sano síntomas iguales o parecidos a los que se trata de combatir». No lo entendí muy bien, así que se lo pregunté a mi madre. Mi madre me dijo que creía que la homeopatía era «medicina natural», hecha con hierbas y cosas así. En el contexto de la novela tenía más sentido.

A lo largo de los diecisiete años siguientes me he tropezado con la palabra *homeopatía* muchas veces. Por lo general, cuando le pregunto a cualquiera qué es la homeopatía, la respuesta más frecuente sigue siendo la misma que me dio mi madre en 1999. Incluso mis alumnos de primer curso de Técnico de Farmacia me dieron esa misma definición el año pasado. Tuve que explicarles que no, que la homeopatía no es eso, no son hierbas, es otra cosa.

Qué es la homeopatía

El origen de la homeopatía se atribuye al médico alemán Samuel Hahnemann en el siglo XVIII. Hacia 1784, Hahnemann abandonó el ejercicio de la medicina tradicional. Pensemos que por aquel entonces las *sangrías* (se consideraba que el exceso de sangre hacía enfermar) y las *purgaciones* (vaciados intestinales) eran tratamientos habituales, prácticas que hoy en día nos pondrían los pelos de punta, que causaban más dolor y muerte que las enfermedades que pretendían curar.

Hahnemann leyó en una obra de Willian Cullen que la quinina, una sustancia que se extrae de la corteza del quino, era eficaz para combatir el paludismo. Por curiosidad, Hahnemann decidió probar los efectos de la quinina sobre sí mismo y notó que los síntomas que le producía eran muy similares a los síntomas del paludismo. Esto le hizo llegar a la conclusión de que algo que produce síntomas similares a una enfermedad puede curar esa misma enfermedad.

Esa fue la génesis del principio fundamental de la homeopatía: «*Similia similibus curantur*» («Lo semejante se cura con lo semejante»). La propia palabra *homeopatía* proviene de los términos *homois* («similar») y *pathos* («sufrimiento»).

Lo que no podía saber Hahnemann en aquellos días, y que en cambio conocemos ahora, es que la causa del paludismo es un parásito llamado *plasmodium* y que la quinina es un alcaloide. No hay ninguna similitud entre ellos.

Hahnemann, convencido de la veracidad de su hallazgo, desarrolló en los siguientes años lo que conocemos como homeopatía. Con objeto de no perjudicar al enfermo, diluyó las muestras de las sustancias que probaba. Sorprendentemente, una sustancia altamente diluida parecía ser tan eficaz como en estado concentrado, a condición de que hubiera sido sometida a un proceso de agitación. A estos procesos los denominó *potenciación* («dilución») y *sucusión* («agitación»).

Hahnemann comenzó a utilizar su nueva técnica en 1792, aunque a lo largo de la historia la homeopatía vivió épocas de luces y sombras, y no siempre fue una práctica habitual.

Tras las guerras napoleónicas, la práctica homeopática se extendió a diversos países. En España comenzó a difundirse hacia 1821. En 1845 se fundó la Sociedad Hahnemanniana Matritense, primera asociación sobre esta terapéutica en España. A comienzos del siglo xx, sin embargo, la homeopatía cayó en declive. Las técnicas médicas y farmacéuticas científicas se desarrollaron y aumentaron su eficacia cada vez más, y la homeopatía comenzó a convertirse en algo anecdótico, en una práctica exótica que más bien se heredaba de padres a hijos en lugar de atraer nuevos miembros por convicción. Tampoco ayudó el que no hubiese una corriente única de pensamiento en el mundo homeopático.

Tras la guerra civil española, aun cuando la homeopatía nunca fue prohibida por el régimen, fueron escasos los médicos que continuaron practicándola. También contribuyó el establecimiento de la Seguridad Social, con consultas médicas y medicamentos financiados a través de los impuestos de todos los ciudadanos.

Con la vuelta a la democracia, la homeopatía disfrutó de un renacimiento en España. El clima de libertad y democracia de los años setenta se unió a la corriente hippy de la época para potenciar un resurgimiento de las terapias alternativas frente a la medicina convencional. En la actualidad se autoclasifican como terapias «complementarias», indicando con ello que no deben entenderse como competencia de la medicina convencional, sino como un complemento.

En la actualidad, según fuentes del sector, casi un cuarto de millón de médicos de todo el mundo utiliza terapias homeopáticas sobre más de trescientos millones de pacientes.

Cómo se hacen las diluciones homeopáticas

Aunque existen leves variaciones entre los métodos de fabricación de preparados homeopáticos, el proceso puede resumirse de forma general de la siguiente manera: se coge un mililitro de la sustancia original, también llamada *tintura madre*, y se mezcla con noventa y nueve mililitros de agua pura. Se agita este preparado y así se obtiene una dilución de un centesimal de Hahnemann (1 CH). A continuación, se coge un mililitro de este preparado 1 CH y se repite la operación de dilución y agitación; así se consigue una dilución de dos centesimales (2 CH). Cada vez que se realiza una de estas mezclas, la sustancia original queda diluida cien veces más en el preparado final. Se supone que cuanto mayor es la dilución, más potente es el preparado homeopático.

Las píldoras homeopáticas están hechas de sustancias inertes, normalmente de algún azúcar, sobre las que se deposita una gota del preparado homeopático. Existen otras nomenclaturas, formatos y métodos para fabricar preparados homeopáticos, pero todos ellos son leves variaciones del método descrito por Hahnemann, así que en esencia todos los preparados homeopáticos son semejantes.

Por analogía con los medicamentos, un preparado homeopático parece tener una pequeñísima presencia de principio activo y, como excipientes, el agua o algún azúcar. Sin embargo, esto no es siempre así. Las diluciones sucesivas, si son suficientemente elevadas, tienen como consecuencia la completa desaparición del principio activo.

Para entender por qué termina por desaparecer el principio activo al hacer las sucesivas diluciones homeopáticas, resultará ilustrativo el siguiente ejemplo: para hacer la primera dilución tomamos un mililitro de la tintura madre (líquido con el principio activo) y lo disolvemos en noventa y nueve mililitros de agua. Así conseguimos una dilución 1 CH. Si de esa dilución 1 CH tomamos un mililitro, y lo disolvemos en otros noventa y nueve mililitros de agua, tendremos una dilución 2 CH. Con cada dilución, la proporción de tintura madre se hace más y más pequeña, y lo hace de forma exponencial, no lineal. Tanto es así que, a partir de cierta cantidad de diluciones, en el preparado homeopático no quedará ni un átomo de principio activo.

Ni un solo átomo. Y no hace falta que hagamos cientos de diluciones. En un preparado 13 CH ya es altamente improbable encontrarse con un solo átomo de principio activo.

Los preparados homeopáticos comerciales suelen ser de 20, 30 y hasta 50 CH, porque se supone que cuanto mayor sea la dilución, más efectivos serán. El caso es que para ingerir un átomo de principio activo de un preparado 16 CH tendríamos que bebernos una piscina olímpica. Para ingerir un átomo de principio activo de un preparado 19 CH tendríamos que bebernos una cantidad de agua equivalente a todo el embalse de La Serena, el mayor embalse de España, con sus más de tres mil hectómetros cúbicos de volumen.

Una dilución de 22 CH equivale a disolver un átomo de tintura madre en todo el mar Mediterráneo. Y una dilución 24 CH equivaldría a disolver ese átomo en todos los océanos del mundo. Es decir, que para ingerir un solo átomo de principio activo de un preparado 24 CH tendríamos que bebernos una cantidad de preparado homeopático equivalente al agua de todos los océanos de la Tierra.

Con frecuencia, los preparados homeopáticos son fruto de diluciones todavía mayores, de 30 CH en adelante, por la suposición de que las diluciones potencian la eficacia. Lo que no encaja y lo que se critica desde la comunidad científica es que, si no hay rastro de algo a lo que podamos llamar principio activo, solo tenemos agua (o azúcar, en el caso de las pastillas). ¿Cómo podemos explicar que un preparado homeopático funcione si solo es agua?

Este particular método de preparación suele concentrar el núcleo de las críticas de la comunidad científica con respecto a la eficacia de la homeopatía. La razón es que mediante este método de diluciones sucesivas no quedaría ni rastro de la tintura madre, que es la sustancia que parece hacer la función del principio activo en cualquier medicamento.

¿QUÉ ES UN PRINCIPIO ACTIVO?

Los principios activos son las sustancias a las que se debe el efecto farmacológico de un medicamento. Antiguamente, se consideraba que los principios activos eran hierbas y sustancias extraídas de la naturaleza. Luego, durante los últimos siglos, se fueron aislando los componentes interesantes de las plantas, y ya en el siglo xx se logró identificar la estructura de muchos de ellos. La actividad de un principio activo varía según la cantidad ingerida o absorbida. El conseguir aislar e identificar cada principio activo ha sido uno de los mayores logros de la medicina. Ahora que entendemos sus estructuras químicas y sus mecanismos de acción, resulta más fácil y, en general, conveniente obtenerlos mediante síntesis, y es más sencillo prever algunos de sus efectos según la dosis, además de prever posibles interacciones con otras sustancias, etc. Por ello, los medicamentos de la actualidad son más seguros y eficaces que en el pasado.

Entre los principios activos más conocidos podemos destacar los analgésicos, como el paracetamol, el ácido acetilsalicílico y el ibuprofeno; los relajantes musculares o ansiolíticos, tales como el diazepam o el lorazepam, o los broncodilatadores, como el salbutamol. Cada principio activo suele asociarse con algún excipiente. El excipiente es lo que se utiliza para conseguir la forma farmacéutica deseada y facilitar la preparación, conservación y administración de los medicamentos.

El argumento de la homeopatía

Todos los conocimientos científicos que tenemos nos llevan a concluir que es imposible que el agua pura, sin rastro de principio activo, pueda tener propiedades farmacológicas. El método de preparación de las diluciones nos lleva a ello, a tener solo agua, y esto deja sin argumentos científicos a los defensores de la homeopatía. Muchas personas han dejado de consumir productos homeopáticos una vez que entendieron cómo se fabrican. No es para menos.

La ciencia que hemos construido hasta la fecha, e incluso el sentido común, nos deja sin argumentos. Entonces, ¿cómo es posible convencer a un farmacéutico de que la homeopatía funciona y de que la dispense? ¿Cuáles son los argumentos comerciales que se emplean? No seamos simplistas e ingenuos, porque normalmente no hay solo malicia o intereses económicos detrás de cada venta. Lo más corriente es que los médicos que la recetan y los farmacéuticos que la dispensan tengan la convicción de que funciona. ¿Cómo es posible?

No existe ningún argumento científico capaz de dotar de sentido al funcionamiento de la homeopatía. Ningún sanitario con formación científica puede dar una explicación lógica acorde con sus conocimientos. La hipótesis más favorable, según los homeópatas, consiste en que el agua tiene «memoria», como si retuviese una especie de impronta de las sustancias que han pasado por ella, algo así como las huellas que quedan sobre la arena. Esta hipótesis carece de sentido y ha dado lugar a mofas y al descrédito del sector homeopático, ya que es imposible que el agua recuerde las sustancias con las que ha entrado en contacto, y además de forma selectiva. ¿Por qué iba a recordar el principio activo y no el vidrio del envase, o el metal del grifo, o el plástico de las tuberías?

Alguna compañía de productos homeopáticos ya ha reconocido públicamente que no sabe cómo funciona. Resulta difícil comercializar un producto así. Otras, en cambio, han recurrido a vagas explicaciones relacionadas con campos de la ciencia que no son muy conocidos por el gran público, como la mecánica cuántica o la termodinámica, solo para que una cuestión sin respuesta parezca tenerla y suene a ciencia. En jerga, a este tipo de tretas se las llama pseudociencias: algo que parece ciencia, que se sirve de su lenguaje, pero que no lo es.

Una vez rechazados los argumentos científicos, la pregunta que se deriva es: ¿podemos concluir que algo no funciona porque no sabemos explicar cómo funciona? Por ejemplo, hay medicamentos cuyo mecanismo de acción no conocemos exactamente, así que, por analogía, podríamos pensar que quizá no sepamos cómo funciona la homeopatía, que quizá hay algunos aspectos de ciencia básica que todavía desconocemos y que sí podrían dar respuesta a cómo funciona.

Que no sepamos cómo funciona no tendría que implicar que no funcione, por muy disparatado que pueda parecer una vez conocida la forma de preparación. Por eso, de momento, pese a la ausencia de argumento científico, sería precipitado confirmar con absoluta certeza que estamos ante un mito. Si lo importante en este caso no es cómo funciona, sino si funciona, ¿cómo se comprueba? La respuesta es clara: superando un ensayo clínico.

Qué es un ensayo clínico

Un ensayo clínico es una evaluación experimental de la eficacia y la seguridad de un medicamento, técnica diagnóstica o terapéutica, en su aplicación a seres humanos. Los tratamientos y medicamentos que se evalúan han de tener una base científica, al menos teórica, de su funcionamiento. Pero hasta que no se experimenta con ellos sobre seres humanos no podemos afirmar que efectivamente las conjeturas previas sean ciertas. Por el momento no podemos prever con total confianza cómo determinadas sustancias pueden afectar a nuestra salud. Por este motivo, ningún medicamento sale al mercado sin haber pasado antes por su verificación a través de ensayos clínicos.

Estos ensayos clínicos también tienen como finalidad, más allá de verificar que un tratamiento, es beneficioso, entender el mecanismo de acción en nuestro cuerpo, localizar los posibles efectos secundarios o si es más efectivo que los tratamientos de los que ya disponemos.

Para hacer un ensayo clínico se necesita contar con una cantidad suficiente de voluntarios que recibirán dicho tratamiento, y se evaluará si este es efectivo. Algo que podría resultar sencillo en realidad cuenta con varios aspectos que hay que tener en cuenta. Por ejemplo, si estos voluntarios sanan tras el tratamiento con el fármaco experimental, ¿cómo sabemos si han sanado gracias al fármaco o si simplemente su cuerpo se ha curado por sí solo?

Sabemos que actúan otros factores. Por ejemplo, cuando estamos enfermos y acudimos al médico, es habitual que el simple hecho de acudir al médico, que este nos tranquilice, nos diga qué tenemos y nos expida una receta nos hace sentir que ya empezamos a curarnos. O cuando tomamos una pastilla para el dolor de cabeza, aunque por su mecanismo de acción esta no comience a hacer efecto hasta treinta minutos después, solemos empezar a encontrarnos mejor mucho antes. A esto lo llamamos *efecto placebo*.

Por otro lado, los científicos que están haciendo el ensayo clínico también pueden interpretar algunos resultados como más significativos de lo que realmente son. Cuando teóricamente entendemos que algo ha de funcionar, tendemos a buscar los resultados que confirmen nuestra hipótesis. No lo hacemos de forma deliberada, sino inconsciente. A esto lo llamamos *sesgo cognitivo*.

Para evitar los falsos positivos en un ensayo clínico tenemos que minimizar el efecto de los sesgos cognitivos y del efecto placebo.

Qué es el sesgo cognitivo

El sesgo cognitivo es un efecto psicológico mediante el cual podemos interpretar de forma errónea lo que estamos percibiendo y, en consecuencia, tomar una decisión equivocada. Los sesgos cognitivos son involuntarios, no se deben confundir con decisiones deliberadas que tomamos para satisfacer nuestros intereses, sino con decisiones instintivas que incluso pueden perjudicarnos.

La existencia de sesgos cognitivos surge como una necesidad evolutiva para la emisión inmediata de juicios que utiliza nuestro cerebro para asumir una posición rápida ante ciertos estímulos, problemas o situaciones, que debido a la incapacidad de procesar toda la información disponible se filtra de forma selectiva o subjetiva.

Por ejemplo, cuando nos habla alguien que nos resulta familiar —ya sea un amigo, un pariente o incluso alguien a quien admiramos—, solemos tener en cuenta sus opiniones y, sin reflexionar, nos dejamos llevar por sus consejos o imitamos sus conductas de forma involuntaria. Esto es así porque asociamos la familiaridad a la seguridad. Esta actitud, fruto del sesgo, generalmente es beneficiosa; pero hay ocasiones en las que nos hace ser excesivamente confiados, lo que nos lleva a cometer alguna imprudencia.

Cuando una persona querida y admirada nos dice «A mí me funciona *x* tratamiento», entendemos que su intención es buena, que nos está protegiendo con su consejo y lo cuestionamos menos que si esa afirmación viene de un desconocido.

En un ensayo clínico es importante minimizar el sesgo cognitivo tanto del paciente como del experimentador.

Como pacientes, el hecho de ser tratados por médicos, de estar recibiendo un tratamiento, puede hacernos interpretar que los efectos positivos son mucho más evidentes de lo que en realidad son. O podemos atribuir una mejora a un tratamiento incluso si este no funcionase, simplemente porque con el paso del tiempo nos hemos ido encontrando mejor y hacemos esa asociación causa-efecto que no tiene por qué ser lógica.

Como experimentadores también sufrimos sesgos. Por ejemplo, si hemos participado en el desarrollo del fármaco de estudio, ya tenemos la sospecha de que va a funcionar y, sin intención, podemos ver mejoras más evidentes de las reales. Así que el sesgo nos afecta a la hora de interpretar correctamente los resultados.

Existen varias formas de manifestación de sesgos a lo largo de un ensayo clínico. La forma de minimizarlas es teniendo en cuenta el efecto placebo y utilizando el *método doble ciego*.

Qué es el efecto placebo

La palabra *placebo* deriva del verbo latino *placere*, que significa «complacer». Su significado fue variando con el paso del tiempo: durante la Edad Media hacía referencia a los lamentos de las mujeres que acudían a los funerales, las plañideras, y más adelante se utilizó para nombrar cualquier medicamento, hasta que a partir del siglo XVIII se empezó a utilizar únicamente para nombrar todo aquello que tenía aspecto de medicamento y no lo era, por carecer de principios activos o eficacia demostrada.

El efecto placebo fue descrito por primera vez por el anestesista americano Henry K. Beecher en 1955. Beecher observó que al menos un tercio de los pacientes mejoraron cuando se les suministraba un placebo, es decir, se les suministraba una pastilla semejante a un medicamento habitual, con el mismo color, forma y sabor, pero sin ningún efecto farmacológico.

Lo interesante es que el efecto placebo no tiene por qué estar siempre relacionado con el consumo de una pastilla o una inyección. El modo de administración influye; así, una inyección de un placebo es más efectiva que una pastilla. El hecho de que nos trate un médico más amable y comprensivo también influye en que el tratamiento que nos administre vaya a ser más efectivo.

El efecto placebo no consiste en creer que mejoramos, sino que mejoramos realmente. Es un fenómeno psicológico que tiene repercusiones fisiológicas reales. Existen varias hipótesis que pretenden dar una explicación a este efecto, pero hasta la fecha no tenemos una explicación completa y concluyente. Sabemos que esto ocurre, que podemos curarnos de algunas dolencias menores si estamos convencidos de que estamos siendo tratados para ello.

El efecto placebo no se reduce a personas adultas, también los animales lo experimentan y, sobre todo, los niños.

Un ejemplo muy sencillo de lo influyente que es el efecto placebo sobre nuestra salud lo podemos rescatar de nuestra infancia. Cuando te dabas un golpe o te dolía la barriga y acudías a tus padres, con un simple «Sana, sana» o con unas caricias sobre la zona afectada, verdaderamente el dolor remitía. En la edad adulta, aunque el desencadenante esté más elaborado, el mecanismo y la respuesta fisiológica son similares. Si creemos que algo nos cura, efectivamente nuestro organismo puede llegar a responder curándose de forma autónoma. Incluso cuando nos explican que un tratamiento que estamos recibiendo es placebo, se dan casos en los que la sugestión fue tal que seguimos disfrutando de sus beneficios.

El efecto placebo es el principal responsable del «A mí me funciona». Cuando algo sin base científica, que se ha constatado que es ineficaz, en cambio «funciona» es porque lo que realmente está actuando es el efecto placebo.

Aunque este fenómeno nos resulte asombroso, no es ilimitado, ni se trata de un milagro que todo lo puede. El efecto placebo es determinante en la curación de dolencias leves y en la percepción del dolor, pero en ningún caso puede curar enfermedades graves; tan solo puede aliviar algunos de sus síntomas.

Hay que tener en cuenta el efecto placebo a la hora de evaluar la eficacia de un medicamento en un ensayo clínico. Por este motivo, los ensayos utilizan un método de evaluación que lo considera: el método doble ciego.

Qué es el método doble ciego

Los métodos científicos se caracterizan por estar diseñados para que cumplan con una serie de características: han de ser reproducibles —que cualquier otro experimentador pueda repetir el experimento y llegar a la misma conclusión— y falsables —que exista la posibilidad de refutar la conclusión obtenida—. El método más habitual utilizado en ensayos clínicos es el doble ciego.

El método doble ciego se basa en establecer dos grupos entre los voluntarios: un grupo (E) recibirá el tratamiento experimental, y otro, llamado grupo control (C), recibirá el placebo, es decir, un tratamiento indistinguible del otro, pero sin principio activo y sin actividad farmacológica. Ninguno de los voluntarios sabe a qué grupo pertenece, de ahí el término *ciego*.

Esto se hace para evitar que los pacientes se sugestionen por pertenecer a un grupo u otro, que esto tenga repercusiones fisiológicas y afecte a los resultados, haciéndolos mejores o peores de lo que realmente son. Es una manera de tener en cuenta las mejoras debidas al efecto placebo.

Los investigadores desconocen si están tratando al grupo E o al C, no saben si sus voluntarios están recibiendo el tratamiento experimental o el placebo. De ahí el término *doble ciego*. De esta manera evitamos dos consecuencias no deseadas: por un lado, que el investigador trate al voluntario de forma diferente, ya que ciertos gestos o preguntas podrían dar pistas al voluntario sobre el grupo al que pertenece e influir en la respuesta al tratamiento. Por otro lado, si el investigador conoce el grupo al que está evaluando, pueden parecerle más evidentes las mejoras del tratamiento experimental, ya que espera que así lo sea. No es una actitud deliberada y malintencionada, sino que responde a sesgos cognitivos inevitables. Si queremos confirmar una hipótesis que nosotros mismos hemos desarrollado, resulta inevitable fijarnos en los resultados que la verifican más que en los que la refutan. Si el investigador desconoce en todo momento a qué grupo pertenece cada voluntario, los errores de evaluación debidos al sesgo se minimizan.

Existen variantes de este método. Por ejemplo, a veces, en lugar de placebo, al grupo C se le administra el tratamiento convencional, y al E el experimental. De esta forma, y dado que los voluntarios padecen una enfermedad, ninguno de ellos deja de recibir tratamiento. Las cuestiones éticas son determinantes a la hora de diseñar un ensayo clínico, y por eso el método empleado puede ser diferente en cada caso.

Siempre que un tratamiento experimental dé resultados significativamente mejores que los proporcionados por el efecto placebo, es decir, que el grupo E mejore con respecto al C de forma evidente, se concluirá que el tratamiento experimental es efectivo. Esta conclusión se consigue gracias a un exhaustivo tratamiento estadístico de los resultados.

Conclusión

Por una parte, ya sabemos que ningún argumento científico es capaz de describir cómo funciona la homeopatía, así que cualquier especulación o explicación de carácter científico es falsa, cae dentro de lo que denominamos *pseudociencia*. Parece ciencia, pero no es ciencia.

Por otra parte, también sabemos que la homeopatía podría demostrar que funciona si es capaz de superar un ensayo clínico, aunque todavía no sepamos cuál es el mecanismo de acción ni el argumento científico. Por este motivo, la conclusión definitiva nos la dan los ensayos clínicos, y el resultado de estos ensayos es indiscutible: ningún tratamiento homeopático ha dado resultados significativamente diferentes al placebo, es decir, ningún preparado homeopático ha superado un ensayo clínico.

La conclusión es que la homeopatía no funciona. Es simplemente placebo, un «Sana, sana» de apariencia sofisticada.

A lo largo de la historia reciente se han publicado varios estudios cuyas conclusiones fueron muy controvertidas, ya que mostraban resultados que parecían favorables a la homeopatía. Ninguno de ellos está libre de errores metodológicos deliberados e interpretaciones sesgadas de los resultados. Debido a estas deficiencias, ninguno de estos estudios ha sido tomado en serio por la comunidad científica. A pesar de ello, todavía es común encontrar referencias a estos adulterados estudios proporcionados por simpatizantes del sector. Cuando un médico o un farmacéutico recurren a argumentar a favor de la homeopatía, es frecuente que lo hagan refiriéndose a alguno de estos estudios. Por este motivo es tan importante recurrir a buenas fuentes de información y a publicaciones científicas de calidad, porque de lo contrario, cualquier estudio, por muy deficiente que sea, puede pasar por válido ante ojos inexpertos.

Si recibimos información de que la homeopatía cura, nos la prescribe un médico, nos la dispensa un farmacéutico, hemos leído por ahí que hay estudios que la avalan, lo natural es estar convencidos de que funciona. Todo ayuda a desencadenar el efecto placebo y, como sabemos, el efecto placebo es muy poderoso a la hora de curar dolencias leves. Nunca podrá curar una enfermedad grave, nunca podrás vacunarte con homeopatía, ni curar un resfriado antes de siete días. El problema es que cuando esta creencia en la homeopatía está tan arraigada, puede tener consecuencias catastróficas. Puede llevar a abandonar un tratamiento médico convencional, puede llevarte a decidir utilizar solo homeopatía para cualquier enfermedad, sea de la magnitud que sea. Entraña más peligros que bondades. Algunos, más que pseudociencia, la llamamos anticiencia. Por eso, en la actualidad, la comunidad científica es muy contundente y está luchando por apartar la homeopatía del sistema sanitario. Por de pronto, la Comisión Federal de Comercio de Estados Unidos ha propuesto que cualquier producto homeopático deba advertir en su etiquetado de que no hay evidencias científicas que lo avalen. En el resto de países, las principales organizaciones van en la misma dirección.

Queda camino por delante. Mientras la homeopatía siga siendo legalmente denominada *medicamento* sin necesidad de superar un ensayo clínico, seguiremos oyendo comentarios del estilo: «A mí me funciona la homeopatía». Seguirá habiendo personas que piensen que son tratamientos a base de plantas en lugar de diluciones infinitesimales, tratamientos basados en mecánica cuántica o disparates similares, tratamientos caros que parecen medicamentos de lujo. Comprar agua llamada homeopatía sale caro, en todos los sentidos.

La homeopatía es una farsa que cuenta con respaldo legal. Queda camino por delante.

Antares Consulting *et al.*, *Libro blanco de la homeopatía*, Zaragoza, Cátedra Boiron de Homeopatía, Universidad de Zaragoza, 2013.

Frías, Fernando, «La lista de la vergüenza», en *Naukas*, 25 de septiembre de 2017, <http://listadelaverguenza.naukas.com/>.

Quirantes Sierra, Arturo, *¿Homeopatía? Va a ser que no*, autoedición, 2014.

2. Vitamina C contra el resfriado
Mitos de la medicina

«Bébete el zumo rápido, que se le van las vitaminas.» Después de «Buenos días», esta frase es la que más he oído durante las mañanas de mi infancia, especialmente cuando el mal tiempo empezaba a arreciar. El zumo de naranja era un elixir matutino, un concentrado prodigioso de vitamina C con el que nuestros padres y abuelos prevenían y curaban nuestros resfriados.

Mi abuela era todavía más moderna, ya que nos preparaba el zumo con licuadora. Un zumo que ahora podría publicitarse como brebaje *detox* a base de frutas de temporada, manzana, zanahoria, tomate..., y por supuesto, naranjas. Nos los servía en una copa, como si fuese un batido de aquellos que mi hermano y yo tomábamos los sábados por la tarde en Zumolandia. Nos lo dejaba preparado con un platito colocado encima, para que no perdiese las vitaminas.

De pequeña tenía la certeza de que mi hermano y yo nos resfriábamos mucho menos que nuestros compañeros de colegio gracias a estos zumos atiborrados de vitamina C. Pero que yo tuviese la certeza de que «a mí me funcionaba» sabemos que no implicó que verdaderamente funcionase.

Qué es la vitamina C y para qué sirve

La vitamina C, también denominada ácido ascórbico, es un nutriente esencial, y su consumo es obligatorio para mantener una buena salud.

Es un poderoso antioxidante, ayuda a la absorción del hierro, al crecimiento y reparación del tejido conectivo (piel más suave, por la unión de las células que necesitan esta vitamina para unirse), a la producción de colágeno (actuando como cofactor en la hidroxilación de los aminoácidos lisina y prolina), la metabolización de grasas, la cicatrización de heridas, y previene el envejecimiento prematuro de las células al minimizar su estrés oxidativo. Por este motivo, los derivados de la vitamina C, los ascorbatos, se utilizan en productos cosméticos por su poder antioxidante, ya que, entre otras acciones, reducen la formación de radicales libres implicados en la aparición de arrugas.

La carencia de vitamina C ocasiona escorbuto, una avitaminosis debida a que nuestro organismo no sintetiza por sí solo esta vitamina, sino que necesitamos consumirla por medio de los alimentos. El nombre químico de la vitamina C, ácido ascórbico, proviene de la raíz latina *scorbutus*. Esta avitaminosis era común en los marinos que subsistían con dietas en las que no figuraban fruta fresca ni hortalizas (reemplazadas por granos secos y carne salada), y fue reconocida hace más de dos siglos por el médico naval británico James Lind, que la prevenía o curaba añadiendo cítricos a la dieta.

¿SABÍAS QUE LA NARANJA NO ES EL ALIMENTO MÁS RICO EN VITAMINA C?

El alimento rico en vitamina C que seguramente nos viene a la mente es la naranja, pero lo cierto es que, mientras que una pieza de este cítrico aporta setenta miligramos de vitamina C, un puñado de fresas contiene ochenta y cinco; un mango, ciento veintidós; media taza de pimientos chile, ciento ocho; y un pimiento rojo, en torno a ciento noventa miligramos. Así que la idea de que la naranja es el alimento que más vitamina C contiene es un mito.

También hay que tener en cuenta que la vitamina C se pierde cuando calentamos los alimentos, así que de nada sirve consumir tomates o pimientos cocinados si lo que nos interesa es su vitamina C.

No todo son beneficios en la vitamina C

Encontramos vitamina C en numerosos suplementos alimenticios que alegan multitud de beneficios para nuestra salud. Estos beneficios están contrastados, como que ayuda a disminuir el cansancio y la fatiga, contribuye a la formación normal de colágeno para el funcionamiento normal de los huesos y cartílagos, contribuye a la protección de las células frente al daño oxidativo e incluso contribuye al funcionamiento normal del sistema nervioso. A pesar de todas estas bondades, si nuestra dieta es equilibrada y nuestro metabolismo funciona correctamente, el consumo de estos suplementos no aporta ningún beneficio extra; de hecho, el exceso de vitamina C que consumamos mediante estos suplementos lo eliminaremos fácilmente por medio de la orina. Así que, si no tienes ningún problema metabólico y te alimentas correctamente, no necesitas un suplemento de vitamina C. En lugar de beneficios, los suplementos solo te supondrán un gasto innecesario.

El exceso de vitamina C tampoco es inocuo. Al ser una vitamina hidrosoluble, su eliminación por el riñón por diuresis es extremadamente eficaz, por lo que los excesos se pueden eliminar en menos de cuatro horas. Sin embargo, hay una cierta transformación de ácido ascórbico en ácido oxálico y su sal, el oxalato de calcio, que es bastante insoluble y puede crear cálculos renales. Por lo tanto, si tienes riesgo de padecer este problema o ya lo padeces, no te suplementes con vitamina C, incluso regula su consumo. Además, su exceso también puede provocar vómitos y diarrea.

¿Sabías que al zumo no se le van las vitaminas?

Eso que hacía mi abuela de colocar un plato sobre el vaso de zumo para que no se escapasen las vitaminas, o eso de bebértelo nada más exprimirlo, son mitos. La vitamina C es hidrosoluble, es decir, se mantiene disuelta en el zumo y no se evapora ni se estropea, ni siquiera varias horas después. De hecho, la vitamina C se utiliza como aditivo alimentario bajo el nombre E-300. Por sus propiedades antioxidantes se añade a los alimentos procesados como conservante, así que es una sustancia muy estable, que sirve para mantener las propiedades nutricionales de otros alimentos durante más tiempo.

No confundas resfriado con alergia o gripe

Aunque los síntomas son parecidos, un resfriado (también llamado catarro o constipado) no debe confundirse con una gripe o con una rinitis alérgica.

El resfriado común es una enfermedad vírica, causada fundamentalmente por rinovirus y coronavirus. Los síntomas más habituales son congestión nasal, tos, dolor de cabeza y garganta, dolores musculares y secreción nasal. Estos virus se propagan a través de diminutas gotitas aéreas que se liberan cuando una persona enferma estornuda, tose o se suena la nariz.

Como se trata de una enfermedad causada por un virus, no deben utilizarse antibióticos para su tratamiento.

Los medicamentos para tratar los resfriados y la tos de venta libre en farmacias pueden ayudar a aliviar los síntomas y a que te sientas mejor, pero no hacen desaparecer el resfriado con más rapidez. Hagas lo que hagas, el resfriado común te va a durar una semana. Si perdura, acude al médico.

La gripe es una enfermedad más grave y está causada por un tipo diferente de virus, un virus de ácido ribonucleico (ARN) de la familia *Orthomyxoviridae.* Aunque los síntomas son similares, una señal de alerta es la fiebre.

La gripe se distribuye en epidemias estacionales que provocan cientos de miles de muertes y llegan a ser millones en los años de pandemia (epidemia global). Durante el siglo XX se produjeron cinco pandemias de gripe a causa de la aparición por mutación de diferentes cepas del virus. A menudo, estas nuevas cepas han surgido a partir del trasvase de cepas típicas de animales a humanos, en lo que se denomina salto de especie o heterocontagio. La variante mortal del virus de la gripe aviar, denominada H5N1, fue la principal candidata para la siguiente pandemia de gripe en humanos desde que traspasó la barrera de especie en 1990, y provocó decenas de defunciones en Asia, hasta la aparición de la neogripe A (H1N1) en 2009. Afortunadamente, aquella variante aviar no mutó y no puede transmitirse entre personas, solo de aves a personas.

En los países desarrollados se han establecido campañas de vacunación anual frente a la gripe para las personas con mayor riesgo y más vulnerables a sus complicaciones, así como controles sanitarios estrictos a las aves de corral. Cada año se revisa la efectividad de la vacuna, ya que una vacuna elaborada un año puede no ser eficaz al siguiente, debido a las frecuentes mutaciones que sufre el virus y a la dominancia de sus cepas.

El tratamiento de la gripe, al igual que el del resfriado, es solo sintomático. Los síntomas pueden durar hasta quince días, aunque hay que tener en cuenta que sus complicaciones son frecuentes en personas mayores de sesenta y cuatro años y en aquellas que padecen ciertos trastornos crónicos, como enfermedades cardíacas, pulmonares o diabetes. Las principales complicaciones suelen ser ciertos tipos de neumonía.

La rinitis alérgica, también llamada fiebre del heno, es una reacción de las membranas de la mucosa de la nariz después de una exposición a partículas de polvo, polen u otras sustancias que solo afectan en el caso de que seas alérgico a alguna de ellas. Se ven afectados los ojos y la nariz principalmente. Se trata habitualmente con antihistamínicos, y la duración de los síntomas perdura en el tiempo si no se trata o si se mantiene el contacto con las sustancias alérgenas.

Efectos de la vitamina C sobre el resfriado

En los años setenta del pasado siglo, el premio Nobel de Química y de la Paz Linus Pauling publicó un libro titulado *Vitamina C, resfriado común y gripe*, en el que defendía que unas altas dosis de esta sustancia, concretamente tres mil miligramos al día (cincuenta veces la actual cantidad diaria recomendada) evitaban la bronquitis, la alergia, la fiebre, la neumonía y los resfriados.

Sin embargo, los veintinueve estudios científicos que se han realizado desde entonces hasta hoy tratando de confirmar estas propiedades de la vitamina C han llegado a la conclusión de que esta sustancia no afecta a los virus del resfriado ni a los de la gripe. Es decir, ni acorta la duración de la infección ni reduce sus síntomas. Solo se ha encontrado una excepción: para los corredores de maratones y los esquiadores, sometidos a un ejercicio físico intenso durante un período breve, beber un vaso de zumo de naranja les supone disminuir a la mitad el riesgo de constiparse. En el resto de la población, tomar vitamina C para reducir los resfriados no tiene ningún sentido.

Moraleja: que algo lo haya dicho un premio Nobel no significa que sea cierto. Esto de creernos que algo es verdad solo porque lo dice alguien con autoridad hasta tiene nombre. Se llama *falacia de autoridad*. Es decir, el argumento típico de «Eso es verdad porque me lo ha dicho mi cuñado, el médico» es una falacia.

Conclusión

Necesitamos vitamina C para vivir y la encontramos en una gran variedad de frutas y verduras, pero en contra de lo que tradicionalmente se cree, la vitamina C no sirve ni para prevenir, ni para curar la gripe; no acorta la duración del resfriado ni alivia sus síntomas.

PRINCIPALES FUENTES CONSULTADAS

Agencia Española de Seguridad Alimentaria y Nutrición, *Evaluación nutricional de la dieta española en micronutrientes: sobre datos de la Encuesta Nacional de Ingesta Dietética (ENIDE)*, Madrid, Ministerio de Sanidad, Servicios Sociales e Igualdad y Agencia Española de Seguridad Alimentaria y Nutrición, 2012.

Fashner, J.; K. Ericson, y S. Werner, «Treatment of the Common Cold in Children and Adults», en *American Family Physician*, 15 de julio de 2012, 86(2), págs. 153-159.

Hemilä, Harri, y Elizabeth Chalker, «Vitamin C for Preventing and Treating the Common Cold», en *The Cochrane Library*, John Wiley & Sons, Ltd., 2013.

OMS, «Consultation on Human Influenza A/H5. Avian influenza A (H5N1) infection in humans», en *The New England Journal of Medicine*, 2005, 353. Págs. 1.374-1.385.

Rondón, C.; J. Fernández, G. Canto, y M. Blanca, «Local Allergic Rhinitis: Concept, Clinical Manifestations, and Diagnostic Approach», en *Journal of Investigational Allergology & Clinical Immunology*, 1 de enero de 2010, 20(5), págs. 364-371.

3. No uses envases de plástico para la comida
Mitos del medioambiente
Mitos de la salud

En el capítulo de *Los Simpson* «Bromas y legumbres», Marge Simpson forma parte de un grupo de madres de Springfield que se reúnen periódicamente en sus casas. Estas madres están obsesionadas con dar una alimentación saludable a sus retoños y critican a Marge por ofrecerles galletas industriales con grasas parcialmente hidrogenadas y leche de tetrabrik a la que llaman «cartón de cáncer de vaca». Marge decide quemar una pila de alimentos en el jardín de su casa, alimentos «llenos de química», dice. Se va con su marido Homer y su hija Lisa a un supermercado de productos orgánicos. La cajera que los atiende va enunciando los productos que han comprado a medida que los pasa por la cinta. Todos los alimentos son «sin» —«sin gluten», «sin pesticidas», «sin conservantes»— y todo está hecho «con soja». Cuando la cajera les dice el precio de la compra, la familia alucina, la cantidad es desorbitada, por lo que Homer asegura que la semana siguiente harán la compra en un supermercado convencional. La cajera les dice: «¿Una semana? Estos alimentos no van a durarles una semana, ¿no ven que no llevan conservantes?». Las frutas que han comprado, todavía sobre la cinta transportadora de la caja, se pudren repentinamente. Homer se echa las manos a la cabeza.

En la siguiente reunión de madres, Marge ha preparado un refrigerio saludable: zumo de uvas sin sulfitos y magdalenas caseras con calabaza orgánica, sin grasas trans y sin gluten. Una de las madres le pregunta qué utilizó para engrasar los moldes de las magdalenas, a lo que Marge contesta: «Cero por ciento de materia grasa, usé moldes que no se pegan». Al oír eso, las madres intentan escupir las magdalenas. Una de las madres dice: «Solo hay una cosa más peligrosa que esos moldes: los plásticos hechos con bisfenol A. No dejes que tus hijos se acerquen a un envase de plástico del número 7». Los vasos infantiles con los que los niños están tomando el zumo son del número 7. Las madres agarran a sus hijos, huyen de la casa de Marge y se meten en una ambulancia.

«Bromas y legumbres» es uno de mis capítulos favoritos de *Los Simpson*, y, como casi siempre, responde a una realidad caricaturizada, pero realidad, al fin y al cabo. A veces la sátira es la mejor forma de derribar mitos.

Qué son los plásticos y qué es el bisfenol A

Lo que coloquialmente llamamos *plásticos* son una familia de materiales denominados *polímeros*. Los polímeros, como su nombre indica (del griego: *polis,* «mucho», y *meros,* «parte» o «segmento») están formados por la unión de unidades más pequeñas llamadas monómeros. Si un polímero fuese un collar de cuentas, cada cuenta sería un monómero.

Los polímeros se clasifican de multitud de maneras: atendiendo a su proceso de fabricación, a su procedencia, a su comportamiento frente al calor, a su elasticidad... y a las sustancias a partir de las que se sintetizan.

El bisfenol A, abreviado como BPA, es una sustancia que se emplea para sintetizar polímeros. Las cuentas de algunos collares que llamamos polímeros son de BPA. Este es el caso de dos polímeros en concreto: el policarbonato y las resinas epoxi.

El policarbonato es transparente y casi inastillable, se usa para fabricar una gran variedad de productos, como piezas de dispositivos médicos y dentales, envases resistentes al impacto, en la cubierta de las maletas rígidas, en componentes de automóviles, en las denominadas lentes orgánicas para gafas y sobre todo es el principal componente de los CD y DVD.

Las resinas epoxi son polímeros termoestables, es decir, resistentes al calor, que no se derriten ni cambian de forma. Se utilizan sobre todo como adhesivos, en recubrimientos en general, y, en particular, como recubrimiento interno de latas de alimentos en conserva, especialmente para productos ácidos, ya que la resina evita que el metal de la lata se oxide.

Durante el proceso de fabricación del policarbonato y de las resinas epoxi, el BPA desaparece como tal, se transforma en algo diferente cuando pasa a formar las cuentas de esos polímeros. Como consecuencia, ni el policarbonato ni las resinas epoxi contienen o liberan BPA.

Es cierto que las plantas industriales que los producen pueden soltar al medioambiente cantidades variables de BPA libre como subproducto. Pero no es eso lo que más preocupa, sino el BPA que podemos ingerir como consecuencia de pequeñas cantidades que no hubiesen reaccionado del todo durante la producción de los polímeros, que quedasen atrapadas en ellos y pudiesen migrar a nuestro organismo, bien a través de la piel de quien toca un CD, o tras beber líquidos contenidos en un recipiente de policarbonato o en una lata revestida internamente con resina epoxi. Esta remota posibilidad fue la que hizo que las autoridades sanitarias revisasen los usos del BPA y decidiesen limitar la posible exposición en situaciones especialmente delicadas. Por esta razón no se fabrican biberones con policarbonato.

Cuál es la relación de los plásticos del número 7 y el bisfenol A

En la base de cada envase de plástico aparece un triángulo formado por tres flechas que no es otra cosa que una simplificación del símbolo internacional del reciclado (triángulo de Möbius). En el interior del triángulo figura un número entre el 1 y el 7, que sigue la clasificación del sistema de identificación americano de la Society of Plastics Industry (SPI), y, bajo él, unas letras que nos permiten reconocer a simple vista de qué plástico está hecho cada envase. Esta clasificación es muy útil a la hora de reciclar y reutilizar los plásticos. Los números indican el nivel de reciclaje que tiene el material, yendo del más reciclable (1) al menos (7).

El 1 es PET o PETE (polietileno tereftalato). Es el plástico típico de envases de alimentos y bebidas, gracias a que es ligero, no es caro y es reciclable. Una vez reciclado, el PET se puede utilizar en muebles, alfombras, fibras textiles, piezas de automóvil y, ocasionalmente, en nuevos envases de alimentos.

El 2 es el HDPE (polietileno de alta densidad). Gracias a su versatilidad y resistencia química se utiliza, sobre todo, en envases, en productos de limpieza de hogar o químicos industriales, como botellas de champú, detergentes, cloro, etc. También se emplea en envases de leche, zumos, yogur, agua y bolsas de basura y de supermercado. Se recicla de muy diversas formas, como en tubos, botellas de detergentes y limpiadores, muebles de jardín, botes de aceite, etcétera.

El 3 es el V o PVC (vinilo o cloruro de polivinilo). También es muy resistente, por lo que se utiliza mucho en limpiadores de ventanas, botellas de detergente, champú, aceites y mangueras, equipamientos médicos, ventanas, tubos de drenaje, materiales para construcción, forro para cables, etc. Aunque no se recicla a menudo, en caso de hacerlo se utiliza en paneles, tarimas, canalones de carretera, tapetes, etc. En algunos casos, el PVC puede contener BPA, ya que se emplea como antioxidante. Su uso no está permitido en alimentación.

El 4 es el LDPE (polietileno de baja densidad). Este plástico fuerte, flexible y transparente se puede encontrar en algunas botellas y bolsas muy diversas (de la compra o para comida congelada, el envase del pan, etc.), algunos muebles y alfombras, entre otros. Tras su reciclado, se puede utilizar de nuevo en contenedores y papeleras, sobres, paneles, tuberías o baldosas.

El 5 es el PP (polipropileno). Su alto punto de fusión permite envases capaces de contener líquidos y alimentos calientes. Se utiliza en la fabricación de envases médicos, yogures, pajitas, botes de kétchup, tapas, algunos contenedores de cocina, etc. Al reciclarse se pueden obtener señales luminosas, cables de batería, escobas, cepillos, raspadores de hielo, bastidores de bicicleta, rastrillos, cubos, paletas, bandejas, etcétera.

El 6 es el PS (poliestireno). Se utiliza en platos y vasos de usar y tirar, hueveras, bandejas de carne, envases de aspirina, cajas de CD, etc. Su bajo punto de fusión hace posible que pueda derretirse en contacto con el calor.

El 7 es un cajón de sastre. En él se incluyen una gran diversidad de plásticos muy difíciles de reciclar. En ocasiones, son una mezcla de plásticos anteriores. Con estos materiales se elaboran algunas clases de botellas resistentes, materiales a prueba de balas, DVD, gafas de sol, componentes informáticos, etc. Además del nailon o el ABS (polímero utilizado en ingeniería, especialmente en automoción). En esta clasificación está el policarbonato, el polímero fabricado a partir de BPA. Esta es la razón por la que los plásticos con el número 7 se asocian a la posible presencia de BPA libre, ya que este ha quedado sin transformarse en policarbonato durante el proceso de fabricación.

Hasta qué punto es tóxico el bisfenol A

El BPA se considera peligroso por su carácter estrogénico, es decir, en nuestro organismo reproduce las propiedades de ciertas hormonas. Ese carácter es muy débil en el BPA, veinticinco mil veces inferior al del estradiol (E2), una hormona esteroide sexual femenina, que se suele tomar como referencia de estrógeno más potente. También se ha vinculado a algunos tipos de cánceres y se ha considerado inductor a la obesidad. La mayoría de los estudios de los que se han sacado esas conclusiones están realizados con animales (ratas y primates), a los que se ha inyectado o se ha hecho beber líquidos con cantidades muy diversas de BPA puro.

Como siempre, el veneno está en la dosis, así que cualquier sustancia será tóxica a partir de cierta cantidad. Lo interesante es conocer ese límite, averiguar si estamos expuestos, cómo metabolizamos esa sustancia y si alcanzamos o no ese límite tolerable.

Hay una cantidad abrumadora de estudios científicos publicados sobre el BPA. Lo más coherente en estos casos es recurrir a los organismos oficiales que se dedican a revisar estos estudios en busca de evidencias y, a partir de ellas, establecer normas de uso y límites tolerables. Estos organismos son principalmente la americana Food and Drug Administration (FDA) y la Agencia Europea de Seguridad Alimentaria (EFSA, por sus siglas en inglés). Ambos organismos velan por nuestra salud en lo tocante a la alimentación y llevan a cabo un seguimiento exhaustivo de todo lo que se produce científicamente para, si procede, tomar medidas al respecto. De ellas, por ejemplo, salieron las medidas de prohibición de los biberones de policarbonato.

En el último informe de la FDA sobre el BPA se pueden extraer algunas ideas importantes. La primera de ellas tiene que ver con lo que ocurre con el BPA en nuestro organismo: una vez que hemos ingerido una cierta cantidad de BPA, generalmente muy pequeña, al beber agua, refrescos o alimentos que lo contengan, este reside muy poco tiempo en nuestro organismo. Tras la ingestión, el BPA es metabolizado inmediatamente por nuestro hígado para dar lugar a otra sustancia, el glucurónido de bisfenol A, que ya no tiene actividad estrogénica alguna y que, en cuestión de pocas horas, se elimina a través de la orina, tanto en las personas mayores como en los más pequeños. Es decir, no hay peligro de que el BPA se vaya acumulando en nuestro organismo.

El informe de la FDA también establece que, tras la administración oral de BPA puro a ratas embarazadas, en cantidades entre cien y mil veces mayores a las que pueda estar expuesta una embarazada humana durante su vida diaria, la transmisión de BPA al feto de la rata es irrelevante y ni siquiera detectable al cabo de ocho horas. La FDA ha establecido también como evidencia que los primates y la raza humana somos más rápidos que las ratas a la hora de metabolizar el BPA en glucurónido y excretarlo posteriormente, con lo que, en cuestión de horas, las cantidades sumadas de BPA y su derivado que quedan en el organismo no sobrepasan el 1 % de la cantidad ingerida. Así que, si en el feto de la rata no se detecta rastro alguno de BPA, en el feto humano menos.

Por su parte, la EFSA también publicó en su último informe las mismas conclusiones a las que llegó la FDA. La novedad fue que se bajó el límite de ingesta de BPA considerado seguro. Esto hizo saltar las alarmas. Si el riesgo del BPA es mínimo, ¿por qué se establece un nuevo límite? La respuesta está en la posibilidad de la entrada del BPA a través de la piel, que es la menos estudiada de todas. Resulta que el papel térmico de algunos tiques de compra contiene BPA como agente de revelado y esto, sobre todo en algunas profesiones, es una fuente de contacto continua y de riesgo insuficientemente estudiado. La EFSA se ha puesto en un escenario conservador estableciendo una nueva tasa de dosis segura.

Conclusión

El bisfenol A es una sustancia estrogénica que interfiere en las hormonas. Se utiliza como materia prima para fabricar algunos tipos de plásticos, pero durante el proceso de elaboración se transforma, quedando atrapado en el material, así que no puede penetrar en nuestro organismo.

A pesar de ello, puede darse la circunstancia de que la fabricación fuese deficiente, y parte del bisfenol A quedase libre en el material y pudiese migrar a los alimentos con los que el plástico estuviese en contacto y, en consecuencia, lo podríamos ingerir. Este es el motivo por el que no se emplean plásticos fabricados con BPA en biberones y objetos para bebés, por entender que son un grupo especialmente sensible.

De todos modos, los organismos oficiales que se encargan de revisar todos los estudios científicos que se han hecho sobre el bisfenol A y su efecto en la salud, la EFSA y la FDA, concluyen que no hay motivo para la preocupación. El bisfenol A que pudiésemos ingerir se transforma en glucurónido de bisfenol A, una sustancia que no tiene actividad estrogénica, que se elimina fácilmente por la orina y no se acumula en nuestro organismo.

Además, los únicos plásticos que podrían contener bisfenol A residual, como el PVC, las resinas epoxi o el policarbonato —este último dentro de los plásticos clasificados con el número 7—, no se pueden utilizar para contener alimentos. Esa es la razón por la que ninguna fiambrera, táper, plato o vaso de plástico, envase de alimentos, etc., tendrá bisfenol A.

La conclusión es que si usamos los envases de plástico con el propósito para el que fueron diseñados, no son peligrosos.

Marge Simpson no podría haber comprado vasos infantiles hechos con plástico del número 7, por la sencilla razón de que no se fabrican.

PRINCIPALES FUENTES CONSULTADAS

Biello, David, «Plastic (not) Fantastic: Food Containers Leach a Potentially Harmful Chemical», en *Scientific American*, 19 de febrero de 2008, <www.scientificamerican.com/article/plastic-not-fantastic-with-bis phenol-a/>.

EFSA, «Scientific Opinion on the Risks to Public Health Related to the Presence of Bisphenol A (BPA) in Foodstuffs», en *The EFSA Journal*, 21 de enero de 2015, 13(2), pág. 202.

FDA, «Bisphenol A (BPA): Use in Food Contact Application», <www.fda. gov/newsevents/publichealthfocus/ucm064437.htm>, 2014.

Iruin, Yanko, «Sobre el Bisfenol A: otra vez», en *El Blog del Búho*, 23 de febrero de 2017, <http://elblogdebuhogris.blogspot.com.es/2017/02/sobre-el-bisfenol-otra-vez.html>.

Nachman, Rebecca M.; Fox, Stephen; Golden, Christopher; Sibinga, Erica; Groopman, John D.; y Lees, Peter S. J., «Serial Free Bisphenol A and Bisphenol A Glucuronide Concentrations in Neonates», en *The Journal of Pediatrics*, julio de 2015, 167(1), págs. 64-69.

4. Vacunas no, gracias.
Es peor el remedio que la enfermedad
Mitos de la medicina

A finales de 1996 en Galicia hubo un brote de meningitis C. Había diecisiete niños infectados en la provincia de Pontevedra. En los principales periódicos gallegos y en el *telexornal* (el telediario de la Televisión de Galicia) se empezaba a hablar de posible epidemia.

En el colegio nos explicaron que la meningitis provoca la infección e inflamación de las meninges, unas membranas que rodean el cerebro. Aquello sonaba horrible. Nos contaron que al principio los síntomas eran parecidos a los de un catarro y que además solían salir unas manchas de color púrpura en la piel. Nos entregaron unos folletos llenos de dibujos explicando en qué consistía la enfermedad, cómo se contagiaba, y nos dijeron que nos iban a vacunar a todos para que no enfermásemos. Yo tenía doce años y todo aquello me daba miedo.

Al llegar a casa, mi madre exploró mi piel y la de mi hermano en busca de aquellas manchas de color púrpura. No había rastro. Yo estaba deseando que nos vacunasen de una vez para sentirme a salvo. Vacunarme me daba grima, no me gustaba la aguja, el dolor del pinchazo, pero menos me gustaba pensar que mi hermano, mis compañeros del colegio o yo misma pudiésemos contraer aquella terrible enfermedad.

Por fin nos vacunaron. Las vacunaciones en Galicia se hicieron en los centros escolares. Por megafonía nos iban avisando, clase por clase, para que nos dirigiésemos a portería. Allí nos pusimos en fila india, por orden de lista, para que nos inyectasen aquella sustancia protectora. Yo era el número 30 de mi clase. Me remangué la camisa mientras esperaba mi turno. Era la primera vez que me iban a pinchar una vacuna en el brazo y estaba nerviosa. Las otras vacunas que recordaba me las habían puesto en la nalga porque así dolía menos. La inyección me la puso una mujer alta vestida de blanco. Por fin. Todo a mi alrededor funcionaba para que los niños como yo estuviésemos a salvo.

Años después, en clase de biología, me enseñaron cómo funcionaban las vacunas. Me pareció uno de los inventos más importantes de la humanidad. Unos cuantos años después de aquella clase leí que las vacunas no hacían falta, que algunas causaban autismo, que contenían mercurio. Aquello que a mí me había hecho sentir invencible y protegida, que había conseguido que ni yo, ni mi hermano, ni ningún compañero del colegio sufriese aquella terrible enfermedad, ahora resultaba ser un lobo con piel de cordero. ¿Qué estaba pasando?

¿Qué son y cómo funcionan las vacunas?

Una vacuna es un agente biológico que proporciona inmunidad ante una determinada enfermedad. Una vacuna contiene típicamente un agente que se asemeja a un microorganismo causante de la enfermedad, y a menudo se hace a partir de formas debilitadas o muertas del microbio, sus toxinas o alguna de sus proteínas. Las vacunas estimulan las defensas para que cuando se encuentre con el microorganismo patógeno que produce la enfermedad, lo reconozca como amenaza y ya tenga las defensas preparadas. Gracias a las vacunas, el sistema inmune puede reconocer y destruir más fácilmente cualquiera de estos microorganismos que encuentre en el futuro.

¿QUÉ ES LA INMUNIDAD DE GRUPO?
LAS VACUNAS NO SOLO TE PROTEGEN A TI

Hay personas que no se pueden vacunar porque sufren algún tipo de inmunodeficiencia, porque son receptoras de un trasplante, porque todavía no tienen la edad suficiente, etc. Si los individuos que rodean a estas personas están vacunados, no contraerán esas enfermedades porque las vacunas los han inmunizado, así que no pueden contagiar a otros. Los individuos vacunados hacen de barrera protectora, evitan que la enfermedad llegue a esa persona vulnerable.

Las personas no vacunadas quedan protegidas de manera indirecta por los individuos vacunados. Cuanta mayor es la proporción de individuos inmunes, menor es la probabilidad de que una persona susceptible entre en contacto con un individuo infectado. Este fenómeno se llama *inmunidad de grupo*.

Solo se puede dejar a una pequeña parte de la población sin vacunar para que este método sea efectivo, por lo que se considera apropiado que solo prescindan de vacuna aquellas personas que, por razones médicas, no pueden recibirla.

Para controlar e incluso llegar a erradicar una enfermedad infecciosa, la OMS recomienda que la cobertura vacunal para una enfermedad sea al menos del 95 %.

Las vacunas tienen un componente social. De que tú te vacunes depende la salud del otro.

La viruela se erradicó en 1980

Si una enfermedad en particular se elimina en todo el mundo, se considera erradicada. Hoy en día solo se ha erradicado una enfermedad infecciosa que afecte a los humanos: la viruela. En 1980, después de décadas de intentos por parte de la OMS, la Asamblea Mundial de la Salud aprobó una declaración en la que se consideraba erradicada la viruela. Los esfuerzos coordinados libraron al mundo de una enfermedad que se había cobrado la vida de más del 30 % de sus víctimas, dejando a muchas otras con graves secuelas, como la ceguera.

La erradicación de la viruela se logró gracias a un control focalizado mediante el cual se identificaban rápidamente nuevos casos de viruela y se aplicaba la *vacunación en anillo*. La vacunación en anillo implica a todo aquel que pudiera haber estado expuesto a un paciente con viruela. A partir de ahí se rastrea a esas personas y se las vacuna tan rápido como sea posible. De esta forma se aisló eficazmente la enfermedad y se previno el contagio. El último caso de viruela ocurrió en Somalia en 1977.

Así fue la primera expedición internacional de vacunación

El virus de la viruela se cebaba fundamentalmente en niños menores de diez años, aunque atacaba a cualquier edad. Muchos de los que sobrevivían —su mortalidad era del 30%— se quedaban ciegos y con rostros marcados de por vida. Una forma más rara producía hemorragias y era tan letal como el ébola, matando al 90% de los infectados.

Las viruelas han escrito episodios catastróficos. Fue como una película de terror que empezó hace doce mil años y que no terminó hasta la edad moderna. Las viruelas mataron a trescientos millones de personas en el siglo XX.

En julio de 1796, el médico inglés Edward Jenner había observado que las vaqueras quedaban protegidas del mal al desarrollar en sus manos unas pústulas benignas cuando ordeñaban a las vacas infectadas por las viruelas vacunas, y comprobó el hecho en un muchacho. Aquellas pústulas le hicieron inmune a la viruela. Aquella «vacuna» fue la primera. Con total certeza, fue el hallazgo más importante de la medicina.

Esta vacuna sirvió de prevención en Francia, España e Italia. Sin embargo, centenares de miles de personas sucumbían en las colonias españolas del Nuevo Mundo y otros muchos lugares donde el remedio no llegaba con la necesaria urgencia, o llegaba en malas condiciones. El transporte de un fluido tan delicado como la vacuna de un continente a otro, en penosas travesías marinas que duraban meses, sin electricidad para mantener la cadena del frío, se antojaba insuperable. Se pensó incluso en embarcar las vacas enfermas. Pero Francisco Javier Balmis, cirujano honorario de cámara de Carlos IV, propuso ingeniosamente el uso de niños huérfanos. Sus cuerpos funcionarían como correas de transmisión para llevar la ansiada vacuna alrededor del mundo. El rey dio su beneplácito a Balmis y se puso en marcha la Real Expedición Filantrópica de la Vacuna, también conocida como Expedición Balmis. Veintidós niños huérfanos partieron del puerto de A Coruña y se embarcaron en una travesía por el océano Atlántico en la corbeta *María Pita* el 30 de noviembre de 1803.

El uso de huérfanos como correo resultó una idea tan ingeniosa que incluso hoy en día sigue siendo sorprendente. Los niños de corta edad resultaban idóneos, ya que la vacuna prendía en ellos con más facilidad; con una lanceta impregnada del fluido se les realizaba una incisión superficial en el hombro, y unos diez días después surgían un puñado de granos —los granos vacuníferos— que exhalaban el valioso fluido vacunal antes de secarse definitivamente. Era el momento de traspasar la vacuna a otro niño. Balmis vacunaba a dos niños cada vez para asegurarse de que esta cadena humana no se rompiera. De esta forma, los niños suponían el auténtico motor de la expedición. Esta expedición fue la aportación española más importante a la historia de la salud pública.

Había un problema logístico que había que resolver, y es que los niños, una vez vacunados, ya no podían emplearse de nuevo en la cadena de transmisión, por lo que, en cada nueva etapa, Balmis se veía obligado a reclutar a más. ¿Qué padre de familia prestaría a su hijo para algo así? Se le ocurrió buscar a expósitos en las casas de huérfanos. Algo que parece de una injusticia terrible, pero Balmis se preocupó por los pequeños de manera especial, para que esa expedición no solo los convirtiese en héroes o víctimas, sino para que supusiese una oportunidad en sus vidas. En México hizo todas las gestiones para que fueran alojados en una residencia adecuada, y no en la casa de expósitos de la ciudad. También se preocupó para que fueran educados correctamente. Muchos de ellos fueron adoptados por familias de México.

Consciente de que con los niños tendría que viajar alguien que los vigilara y los cuidara para que el proyecto llegara, nunca mejor dicho, a buen puerto, pronto se fijó en una mujer, trabajadora incansable, que ya estaba acostumbrada a lidiar con niños a los que sabía cuidar tanto afectiva como físicamente. Así fue como Isabel Zendal se uniría a la Real Expedición para extender la vacuna de la viruela por todo el mundo conocido de manera altruista para erradicar —o al menos minimizar al máximo— los efectos de un virus letal que ya se había llevado millones de vidas en todo el planeta.

Isabel trabajó a bordo en la expedición para convertir la inclusa en un lugar acogedor y digno para los expósitos que allí vivían, o sobrevivían. Es posible que su buena fama como gestora de un centro de expósitos llegara a oídos del doctor Balmis y por eso contase con ella. Su misión era cuidar y proteger a los más de veinte niños, incluido su propio hijo, que formaban parte de una expedición que cambiaría el rumbo de la historia médica. Pero mientras que los principales nombres de los responsables de la Real Expedición pasaron a la historia con nombre y apellidos, tuvieron que pasar décadas, siglos, para que se dilucidara la verdadera identidad de aquella valerosa mujer sin cuya incansable dedicación posiblemente no habría alcanzado el éxito. La OMS la consideró a mediados del siglo XX como la «primera enfermera de la historia en misión internacional».

En 1977, el mundo quedó oficialmente libre de viruelas.

La historia de los movimientos antivacunas

Los movimientos antivacunas no son algo novedoso, sino que cuentan con mucha historia detrás. Es cierto que desde el año 2000, con la llegada de internet a gran parte de la sociedad, estos movimientos han ganado visibilidad. Hay una cantidad desproporcionada de contenidos antivacunas en la red. Y eso sumado a que la relación entre el médico y el paciente ha cambiado, ya que muchas veces nos informamos en internet antes de hacer una consulta a un profesional, es más fácil dejarse seducir por estos contenidos o, al menos, dudar de la seguridad y la necesidad de algo que antes no cuestionábamos.

Desgraciadamente, si se examinan los contenidos relacionados con la vacunación en internet, sobresale la información inexacta e incorrecta. Esto hace que algunos pasen de la duda a la oposición, y de la oposición al proselitismo. El impacto emocional que produce la información antivacunas en alguien que duda de ellas es, en muchos casos, superior al que produce la información provacunas. Los argumentos que utilizan señalan a culpables sobre los que ya existen prejuicios negativos de los que es difícil deshacerse, como los que rodean a la industria farmacéutica. Aun así, aunque hoy hagan más ruido, esto no es nada nuevo.

Hemos visto cómo, a principios de 1800, el científico Edward Jenner demostró que la viruela de las vacas protegía contra la viruela humana, por lo que podía utilizarse como vacuna. A pesar de que más del 30 % de los casos de viruela eran mortales, hubo campañas en contra. Son famosos los dibujos satíricos publicados en 1802 en los que se ridiculizaba la vacunación de Jenner. El bulo consistía en que al vacunarte con la viruela de las vacas le salían por el cuerpo apéndices de vaca.

Durante el siglo XIX, en el Reino Unido primero, luego en el resto de Europa y en Estados Unidos después, se crearon las primeras ligas y campañas antivacunación, que lucharon activamente contra las leyes que obligaban a la vacunación y en defensa de la libertad individual. Sin embargo, en el siglo XX llegó la época dorada de las vacunas —en los años cincuenta y sesenta—, cuando la aceptación de la inmunización fue máxima. En esos años se introdujeron las vacunas contra la poliomielitis, el sarampión, las paperas y la rubéola, con gran conformidad al comprobar cómo los casos de enfermedades y muertes se reducían drásticamente. En los años setenta se emprendieron acciones internacionales para expandir los programas de vacunación a los países de bajos ingresos, con el objetivo de acabar con seis grandes asesinos: polio, difteria, tuberculosis, tosferina, sarampión y tétanos. Entonces, menos del 5 % de la población mundial infantil menor de un año estaba inmunizada contra estos patógenos. En los años noventa, cerca del 75 % de la población mundial infantil estaba vacunada contra la polio, la difteria, el tétanos y la tosferina. Sin embargo, ese período de aceptación entusiasta no duró mucho tiempo.

A mediados de la década de 1970 resurgieron con fuerza los movimientos antivacunas. La polémica comenzó en el Reino Unido con la vacuna contra la tosferina, al publicarse un estudio que relacionaba serios trastornos neurológicos en treinta y seis niños después de haber sido vacunados con la DTP (triple bacteriana, difteria-tétano-pertusis). Este estudio tuvo una gran repercusión mediática e hizo que la población vacunada voluntariamente en el Reino Unido bajara del 77 % al 33 %, con el consiguiente aumento de los casos de tosferina, algunos de ellos mortales.

En Estados Unidos, la controversia comenzó en 1982 con la emisión de un inquietante documental titulado *DPT: Vaccine Roulette (DTP: la ruleta de la vacunación)*, que acusaba al componente pertusis de causar daños cerebrales severos y retraso mental. A raíz de tal escándalo se crearon grupos de presión antivacunas, se investigaron las empresas fabricantes, aumentaron los precios y se redujeron las tasas de vacunación. A pesar de los estudios que se hicieron posteriormente que demostraban que no había relación alguna entre la vacuna DTP y los trastornos neurológicos, la preocupación sobre su seguridad fue un estímulo para el desarrollo de una nueva vacuna de pertusis, menos reactiva y, por lo que se está viendo con el tiempo, con un menor poder protector contra la enfermedad. Quizá lo único bueno de todo aquello fue la creación de un programa nacional para recoger, evaluar y publicar de forma transparente todo tipo de información sobre los efectos adversos que puedan ocurrir por la administración de las vacunas en Estados Unidos.

Reino Unido volvió a ser el origen de una de las mayores crisis sobre las vacunas, en esta ocasión relacionando la vacuna triple vírica o SRP (sarampión-rubéola-paperas) con el autismo. La prestigiosa revista científica *The Lancet* publicó en 1998 un artículo firmado por el médico Andrew Wakefield y otros doce colegas en el que se sugería una posible asociación entre la vacuna y el autismo. Aunque en el artículo no se probaba que la vacuna causase autismo, las afirmaciones posteriores de Wakefield en los medios no dejaban lugar a dudas sobre su opinión. Wakefield pidió públicamente la retirada de la vacuna hasta que se hicieran más estudios. El trabajo tuvo un gran impacto en Reino Unido. En los diez años siguientes, el índice de vacunación bajó del 92 % al 85 %, y los casos de sarampión pasaron de 58 a 1.348.

En 2004, diez de los coautores de la investigación retiraron su firma del artículo que había desatado la tormenta, y *The Lancet* publicó una rectificación poniendo en duda las conclusiones; la prestigiosa revista retiró en febrero del año pasado el polémico artículo de sus archivos; y el Consejo General Médico de Reino Unido prohibió en mayo a Wakefield ejercer en el país por su actitud deshonesta e irresponsable en el trabajo citado. Ningún otro equipo de investigadores ha confirmado nunca la relación entre la vacuna y el autismo por la que Wakefield es famoso.

Años después se demostró que los datos de la publicación eran incorrectos y que Wakefiled tenía intereses económicos ocultos al publicar esos datos contra las empresas farmacéuticas, ya que acababa de fundar una empresa de análisis y exámenes médicos para procesos judiciales con el fin de aprovechar la alarma creada por sus conclusiones. Un claro caso de estafa. Uno de los negocios, a nombre de la esposa de Wakefield, pretendía desarrollar vacunas con las que reemplazar la triple vírica, un kit de diagnóstico de la enterocolitis autística y otros productos que solo podían tener alguna probabilidad de éxito si se minaba la confianza del público en la triple vírica. Además, desde febrero de 1996, Wakefield estaba en contacto con Richard Barr, un abogado del movimiento antivacunas que quería demandar a las farmacéuticas y buscaba pruebas científicas en su apoyo, y que financió secretamente buena parte de los trabajos del médico.

Pero entre la fecha de publicación del artículo y su retirada pasaron años, con lo que durante demasiado tiempo fue un argumento recurrente de los movimientos antivacunas.

Desde entonces se han evaluado y revisado más de veinte mil estudios relacionados con la vacuna triple vírica y más de catorce millones de casos de niños vacunados, y no hay ningún indicio de que tenga alguna relación con el autismo infantil. Hoy en día sigue circulando este bulo como si se tratase de información veraz, y no como la treta de un estafador. La relación entre autismo y vacunas sigue siendo el germen de preocupación de muchos padres y madres.

En 2005, las revistas *Rolling Stone* y *Salon* publicaron un artículo del abogado medioambiental Robert F. Kennedy Jr. en el que señalaba una conspiración gubernamental para encubrir evidencias de que el timerosal utilizado en las vacunas actuaba como un neurotóxico, causando autismo y otros problemas neurológicos. El timerosal es un compuesto que contiene mercurio y que se utilizaba habitualmente como conservante en muchas vacunas.

Tras la publicación de este artículo se sucedieron una serie de rectificaciones e insinuaciones de fraude y fallos de procedimiento que hicieron que *Salon* retirase el artículo. Igual que Wakefield, Kennedy sigue defendiendo su argumentación, y de hecho logró convencer a Donald Trump hasta el punto de impulsar la creación de un comité sobre la seguridad de las vacunas.

Sin embargo, según la OMS, no hay evidencias científicas que sustenten esas afirmaciones. De hecho, el timerosal dejó de utilizarse en 2001 como conservante de casi todas las vacunas, tanto en Estados Unidos como en Europa. Esto quiere decir que, de existir la conexión entre el timerosal utilizado en las vacunas aplicadas a millones de niños en ambas regiones y las enfermedades neurológicas, el número de casos de esas enfermedades tendría que haberse reducido drásticamente. Eso no ha ocurrido.

Otra de las sustancias presentes en las vacunas y que ha suscitado controversia es el aluminio. El aluminio se asocia a supuestas reacciones adversas que van desde afecciones cutáneas hasta problemas neurológicos. El argumento no termina de concretarse, y queda como una amenaza general. Pero los argumentos científicos son más tajantes. Las sales de aluminio se usan como adyuvantes de vacunas desde hace más de setenta años, y nunca se ha relacionado ningún efecto adverso con el aluminio que incluyen algunas vacunas. La cantidad de este metal en las vacunas es ínfima (menos del 1 %), menos del que contienen de forma natural algunos alimentos habituales.

En los países desarrollados, donde los programas de vacunación están bien establecidos y en gran parte son gratuitos, se pone en duda la necesidad de las vacunas a causa de su propio éxito. Es decir, como gracias a las vacunas ha disminuido radicalmente la frecuencia de enfermedades infecciosas, los padres no perciben el riesgo de esas enfermedades y no ven su necesidad. Se tiene más miedo a la vacuna que a la propia enfermedad. Sin embargo, en los países con ingresos medios o bajos, donde este tipo de enfermedades son todavía frecuentes, la duda de la inmunización es menor. Allí donde la mortalidad infantil es todavía muy alta debido a las enfermedades infecciosas, da más miedo la enfermedad que la vacuna. Da más miedo porque sus poblaciones han visto y vivido la enfermedad muy de cerca. En los países desarrollados, muchas de estas enfermedades solo figuran en los libros. Es difícil imaginarse el daño que pueden llegar a hacer.

A pesar de esto, incluso en los países de bajos ingresos también han surgido algunas controversias que han hecho disminuir las coberturas vacunales y han supuesto un serio problema para las campañas mundiales de inmunización. En 1990, en Camerún se extendieron rumores de que el objetivo de las campañas de vacunación era la esterilización de las mujeres. En 2003 se boicoteó la vacuna de la polio en el norte de Nigeria también con rumores de que la vacuna era una estrategia para extender el VIH y reducir la fertilidad entre los musulmanes. A consecuencia de estos rumores, la polio resurgió en Nigeria y se extendió por quince países africanos que ya habían sido declarados libres de la enfermedad.

Conclusión

Las vacunas salvan vidas y evitan sufrimiento. Son uno de los mayores logros de la humanidad. Gracias a ellas hemos conseguido erradicar enfermedades mortales como la viruela, y estamos cerca de poder erradicar la polio.

Los movimientos antivacunas son un retroceso. Están fundamentados en argumentos equivocados y un conocimiento sesgado de la historia. Estos movimientos son responsables de un gran número de muertes que podrían haberse evitado.

Mientras escribo estas líneas tengo doblado el periódico de hoy encima de mi mesa. Hay una noticia sobre el sarampión. Hoy sé que hay 2.716 niños enfermos de sarampión en Italia, 500 en Alemania, 6.434 niños en Rumania, con 17 muertos en lo que va de año. La muerte de miles parece estadística. La muerte de cada uno es una tragedia. Cada uno de esos miles son personas, con su nombre, su familia, su vida truncada.

Leo estas cifras porque en el titular de la noticia está el nombre de una adolescente con sarampión cuyos padres rechazaron vacunarla: Inês Sampaio.

Inês ha muerto hoy. La ha matado el movimiento antivacunas.

Quien teme más a la vacuna que a la enfermedad es porque ha tenido la fortuna de no haberla sufrido de cerca.

Ariza, Luis Miguel, «La odisea del doctor Balmis», en *El País*, 24 de enero de 2010.

Dubé, E.; *et al.*, «Vaccine Hesitancy, Vaccine Refusal and the Anti-Vaccine Movement: Influence, Impact and Implications», en *Expert Review of Vaccines*, 2015, 14(1), págs. 99-117.

Gámez, Luis Alfonso, «El inventor de la conexión entre triple vírica y autismo planeó ganar millones gracias al miedo a las vacunas», en *Magonia*, 12 de enero de 2011, <http://magonia.com/2011/01/12/el-inventor-la-conexion-entre-triple-virica-y-autismo-planeo/>.

Kestenbaum, L. A.; *et al.*, «Identifying and Addressing Vaccine Hesitancy», en *Pediatric Annals*, 2015, 44(4), e71-5.

López-Goñi, Ignacio, «Dudas sobre las vacunas: problemas y soluciones», en *Cuaderno de Cultura Científica*, 12 de junio de 2017, <https://culturacientifica.com/2017/06/12/dudas-las-vacunas-problemas-soluciones/>.

—; y Oihana Iturbide, *Las vacunas funcionan*, Valencia, Phylicom Ediciones, 2015.

Marilyn Manson, «The fight song», en *Holy Wood*, Nothing Records, 2000.

Moro, Javier, *A flor de piel*, Barcelona, Seix Barral, 2015.

Smith, M. J., «Promoting Vaccine Confidence», en *Infectious Diseases Clinics of North America*, 2015, 29(4), págs. 759-769.

Stahl, J. P.; *et al*, «The Impact of the Web and Social Networks on Vaccination», en *Médecine et Maladies Infectieuses*, mayo de 2016, 46(3), págs. 117-122.

Thomson, A.; *et al.*, «Vaccine Hesitancy: A Vade Mecum v1.0», en *Vaccine*, 2016, 34(17), págs. 1.989-1.992.

5. El teléfono móvil daña la banda magnética de las tarjetas
Mitos de la radiación

Manu y yo estábamos alojados en un hotel de Burgos. Por la mañana, cuando nos dirigíamos a desayunar, cogí solo el móvil y la tarjeta magnética de la habitación, tal y como hago siempre que me alojo en un hotel. Metí la tarjeta dentro de la funda del móvil cuando estábamos en el ascensor.

—¿¡Qué haces!? Así es como se borran las tarjetas, no las puedes pegar al móvil. Verás cómo después no podemos entrar en la habitación y tendremos que pedir otra tarjeta —me dijo Manu.

—Yo creo que eso es un mito —le dije—, pero no estoy segura.

—En el hotel al que solemos ir en Madrid me pasa siempre. De hecho, en recepción te aconsejan no acercar la tarjeta al móvil porque se desmagnetiza constantemente.

Por precaución saqué la tarjeta de la funda del móvil y le pedí que la guardase él en un bolsillo.

—Ahora ya va a dar igual. Seguro que ya se ha desmagnetizado. En Madrid siempre cometo el mismo error y luego tengo que pedir otra tarjeta para entrar —me dijo mientras guardaba la tarjeta en el bolsillo trasero de su pantalón.

Cuando volvimos a la habitación, la tarjeta funcionó correctamente. Esta vez nos habíamos librado.

La breve historia de las bandas magnéticas

Las bandas magnéticas ya nos parecen algo anacrónico. Hoy en día han sido ampliamente superadas por los chips RFID (identificación por radiofrecuencia) de las tarjetas modernas, que ofrecen mayor seguridad a la hora de almacenar nuestros datos y no requieren deslizar la tarjeta para leerla; basta con acercarla, por lo que son menos sensibles al daño físico.

Como dice la canción, «hoy los tiempos adelantan que es una barbaridad». Las bandas magnéticas están condenadas a extinguirse, pero supusieron un cambio importantísimo a la hora de hacer registros y pagos de forma rápida. Son un invento moderno que forma parte de nuestras vidas desde hace poco.

En 1888, Oberlin Smith publicaba en la revista *Electrical World* un artículo en el que explicaba los principios básicos para grabar señales en un soporte magnético. El artículo fue publicado por *La Lumière Électrique*. En 1898, Valdemar Poulsen inventó un grabador eléctrico que consistía en cubrir con polvo imantado una tira de material flexible. Este invento fue el antecesor de las cintas magnéticas, las que los nacidos antes de los noventa recordaremos de los casetes de música y las cintas de vídeo VHS.

En los años sesenta, con la popularización de los viajes en avión, resultaba necesario un sistema eficaz y ágil para registrar a los pasajeros y que además estos pudiesen pagar sus pasajes sin necesidad de manejar dinero en efectivo. Por aquel entonces, todo esto se hacía de forma manual. Cada transacción se tenía que registrar en un libro. Los comercios también se veían afectados, ya que no tenían un medio práctico que les permitiera gestionar otro tipo de cobros diferentes a los realizados en efectivo. Los cheques eran el medio empleado por aquella época, pero implicaban que el comerciante tenía que comunicarse con el banco para verificar la validez de dicho cheque, y los tiempos de respuesta y atención no eran los mejores.

La alternativa que podría dar solución a este tipo de problemas era aquella que permitiera que el propio usuario pudiera gestionar su transacción sin la necesidad de personal asociado al servicio. Con esta premisa, Forrest Parry, ingeniero de IBM, desarrolló en los sesenta un modelo de tarjeta con una banda magnética. Las primeras tarjetas que se sabe que incorporaron banda magnética son las que se utilizaron en el metro de Londres.

La empresa IMB fue la primera en producir y comercializar este tipo de tarjetas con una banda magnética en su parte frontal que contenía los datos del cliente, que podía ser leída por un dispositivo especial y que servía tanto para las aerolíneas como para los bancos. Durante el desarrollo de este proyecto se analizaron otras opciones, tales como códigos de barras y cintas de papel perforado, pero fueron descartadas debido a su poca operatividad.

Curiosamente, IBM no patentó ni las tarjetas ni los lectores. Sin embargo, el retorno de la inversión se obtuvo más adelante con la venta de equipos capaces de procesar la información y las transacciones realizadas con tarjetas con banda magnética.

Con el paso del tiempo y por temas estéticos, la banda magnética se ubicó en el anverso de la tarjeta, mientras que la parte frontal fue utilizada para la impresión de la información del titular, del banco o de la compañía de transportes.

Cómo funcionan las bandas magnéticas

La banda magnética es una banda de color marrón o negro. Está hecha de finas partículas magnéticas, que funcionan como minúsculos imanes, colocadas en forma de barras y adheridas por medio de una resina. Si son de color marrón son bandas de baja coercitividad (Lo-CO), y están hechas de óxido de hierro. Son las bandas que encontramos en tarjetas que no requieren demasiada estabilidad, como las de los hoteles o las tarjetas de socio. Las bandas de color negro son de alta coercitividad (Hi-CO), y están hechas de ferrita de bario. Son más estables y seguras, por eso se emplean en tarjetas bancarias.

El método que se utiliza para grabar información en una tarjeta es el mismo que se emplea para grabar información en las cintas de casete o en los discos duros. Este método se basa en el sistema binario. En este sistema se utiliza una combinación de ceros y unos que sirve para representar todos los números y todas las letras. Con los imanes, como tenemos las posiciones norte y sur, podemos guardar la información de ceros y unos dependiendo de si la polaridad es norte o sur.

Mediante el uso de imanes más potentes que los de las bandas magnéticas, podemos invertir o conservar la orientación norte o sur y así escribir la información que queremos que figure en la tarjeta. Las tarjetas de alta coercitividad necesitan de imanes más potentes para ser codificadas.

Cómo se desmagnetizan las bandas magnéticas

De la misma forma que se codifican las tarjetas utilizando imanes, se pueden dañar acercándoles imanes, lo que comúnmente llamamos desmagnetizar la tarjeta. Si acercamos una tarjeta a un imán suficientemente potente, podemos alterar la información codificada original y, por tanto, estropear la tarjeta.

En general, hace falta un campo magnético de mil gauss para alterar la banda magnética de una tarjeta. Por ponerlo en perspectiva, una máquina de resonancia magnética emite un campo de quince mil gauss. La intensidad del campo magnético de los imanes típicos que encontramos en casa, como los de la nevera o los de los cierres de un bolso, no suele superar los cien gauss, con lo que no tienen la potencia suficiente como para alterar la banda magnética de ninguna tarjeta.

En los teléfonos móviles también hay imanes. Estos se utilizan en los altavoces y en algunos sistemas de carga inalámbrica que funcionan por inducción electromagnética. Estos imanes son muy débiles, entre 1,2 y 10 miligauss. Están por debajo del campo magnético terrestre, al que estamos sometidos todo el tiempo. Es decir, es extremadamente improbable que una tarjeta se pueda dañar solo por estar en contacto con un teléfono móvil.

Las personas que trabajan en centros de salud y en investigación sí pueden perder la información de sus tarjetas, ya que algunos aparatos, como los de resonancia magnética nuclear, presentan imanes capaces de alterar la codificación de las tarjetas.

Con una tarjeta de baja coercitividad como las de los hoteles, podría ocurrir que los datos se alterasen, pero difícilmente sería por los imanes del teléfono móvil, sino por la suma de los imanes del teléfono, de la funda del teléfono, del cierre del bolso, etc. Hoy en día no hay pruebas al respecto más allá de las personas que juran que les ha ocurrido.

En la mayoría de estos casos, lo que ocurre es que la banda magnética recibe un daño físico por culpa de un lector sucio o por llevarla suelta en el bolsillo. En ocasiones, hasta un leve arañazo que pasa desapercibido a simple vista puede producir un error en los datos codificados en la banda.

¿PUEDO ESTROPEAR UN MÓVIL O BORRAR UN DISCO DURO ACERCÁNDOLE UN IMÁN?

Cuando colocas un imán potente cerca de un monitor antiguo, como un televisor de tubo, puedes distorsionar la imagen. Afortunadamente, los televisores y los monitores modernos no son igual de susceptibles. Los aparatos electrónicos más modernos, como nuestros teléfonos móviles, tampoco se verán afectados negativamente por los imanes pequeños.

La gran mayoría de los imanes que te encuentras cotidianamente, e incluso muchos de los imanes potentes que hay en el mercado, no tendrán efectos adversos sobre los teléfonos móviles. De hecho, dentro del dispositivo debe haber varios imanes pequeños que desempeñan funciones importantes, tanto para el sistema de audio como para las cargas inalámbricas.

Sin embargo, los campos magnéticos pueden interferir temporalmente en la brújula digital y con el magnetómetro que están dentro del teléfono. Podríamos magnetizar ligeramente algunos de los componentes metálicos de su interior, lo que provocaría que actuasen como imanes débiles. Esto puede dificultar la calibración correcta de la brújula y, por tanto, afectar a juegos en los que la orientación del teléfono sea importante, o al navegador.

La idea de que los imanes pueden borrar los discos duros también se ha hecho popular. Es famosa la escena en la que Walter White usa un enorme electroimán para tratar de borrar las pruebas de un disco duro en la serie «Breaking Bad».

Es cierto que los datos grabados magnéticamente también pueden corromperse con potentes imanes, incluidas cosas como casetes, discos flexibles, cintas VHS y tarjetas de crédito. Sin embargo, los discos duros incluyen imanes de neodimio en su interior para operar el brazo de lectura/escritura y para grabar información, así que, de nuevo, no se van a ver afectados por imanes de tamaño regular. Si pegaras imanes en la parte exterior del CPU de tu ordenador, por ejemplo, no tendrían efecto alguno en el disco duro.

Conclusión

Para escribir y borrar la información que codificamos en las tarjetas necesitamos un imán. Este imán ha de tener la potencia suficiente como para alterar la polaridad de las sustancias que conforman las bandas magnéticas, ya que estas funcionan como imanes en miniatura cuya polaridad norte o sur se traduce en información.

Para cambiar la polaridad, es decir, para alterar la banda magnética, necesitamos imanes lo suficientemente potentes. Los imanes cotidianos, como los que hay en los teléfonos móviles, el cierre de los bolsos o las fundas de los móviles son demasiado débiles como para causar ningún daño.

Cuando una tarjeta deja de funcionarnos, lo más probable es que sin querer la hayamos rayado, o bien al deslizarla en los lectores, o bien por llevarla en el bolsillo, o con el roce de unas con otras en el tarjetero o en la cartera.

Como dicta el principio de parsimonia o navaja de Ockham, «en igualdad de condiciones, la explicación más sencilla suele ser la más probable».

PRINCIPALES FUENTES CONSULTADAS

Aragón TV, «¿Se puede desmagnetizar una tarjeta de crédito?», vídeo de *En ruta con la ciencia*, <www.youtube.com/watch?v=kqrK5srSNhM>, 2016.

Hill, Simon, «¿Puede un imán destruir tu *smartphone* o disco duro?», en CNN Tecnología, <http://cnnespanol.cnn.com/2015/06/03/un-iman-puede-destruir-tu-smartphone-o-disco-duro>, 2015.

PCI Hispano, «¿Cómo funcionan las tarjetas de pago? Parte IV: banda magnética», en <www.pcihispano.com/como-funcionan-las-tarjetas-de-pago-parte-iv-banda-magnetica>, 2017.

Tarrío, Jacobo, «Cómo funcionan las tarjetas de banda magnética», en *In the land of the inexpensive*, en <https://jacobo.tarrio.org/es/know/como-funcionan-las-tarjetas-de-banda-magnetica>, 17 de noviembre de 2014.

6. Nos están fumigando
Mitos del medioambiente

Uno de los vídeos de la *youtuber* Yellow Mellow trata de las teorías conspirativas que, según ella, dan más miedo. De los *chemtrails* a los *illuminati,* da un repaso muy divertido y loco a unas cuantas historias alternativas a los hechos. En un minuto, Yellow Mellow cuenta lo esencial sobre *chemtrails:* la explicación racional, la explicación alternativa y qué sentido tendría la conspiración *chemtrailiana.*

Desde el principio nos hace esta advertencia que transcribo: «Los hechos que os voy a contar son teorías conspirativas, ¡teorías! No estoy diciendo, en ningún momento, que yo me las crea. Y tampoco estoy diciendo, en ningún momento, que estos sean hechos reales».

Nos lo cuenta de la siguiente manera:

Los *chemtrails* son esos rastros que dejan los aviones por el cielo. A veces no hay ni uno. A veces dos o tres. A veces hay como quince en muy poco espacio. La explicación oficial que se da a esto es que simplemente son rastros de los aviones comerciales que pasan por el cielo a diario. Hay rutas en las que pasan más aviones que en otras. Así que esa es la explicación. No hay nada raro. No pasa nada.

Pero el dato alternativo es que esos rastros que dejan los aviones son gases químicos que dejan ir algunos aviones que no son comerciales para que vayan cayendo lentamente sobre la población y que provocan enfermedades. Básicamente la teoría dice que nos están *fumigando.* Estos gases pueden provocar desde ligeros dolores de cabeza, resfriados comunes, hasta cáncer [frunce el ceño].

¿Por qué se dice esto? ¿Cuál es la razón? Pues ¿tú qué haces cuando estás enfermo? Vas al médico, el médico te receta una medicina, vas a la farmacia a comprar esa medicina. Si no estuvieses enfermo, ese proceso no lo harías y, por tanto, no irías a la farmacia a gastarte el dinero.

Pues bien. Se dice que estas *fumigaciones* por parte de organizaciones potentes, gobiernos, sociedades de las que hablaremos más adelante [se refiere a los *illuminati*], ¿por qué están haciendo esto? Pues para beneficiar a la industria farmacéutica. Nos están enfermando para enriquecer a la industria farmacéutica. Esto es lo que cuenta la teoría.

CÓMO USAR LA DESINFORMACIÓN PARA COMBATIR LA DESINFORMACIÓN

Existe una teoría denominada *teoría de la inoculación* que dice que cuando estamos expuestos a una «forma débil de desinformación», esto nos ayuda a crear resistencia para que no seamos influenciados por la desinformación real. De la misma manera que cuando nos exponemos a una forma débil de un virus, creamos inmunidad al virus real. Con la información sucede algo similar. Para que esta teoría funcione son necesarios dos elementos. El primero es incluir una advertencia explícita sobre el peligro de ser engañado por la desinformación. El segundo es proporcionar contraargumentos que explican los fallos en esa desinformación. De esta manera, cuando se nos presentan los hechos alternativos, estos pasan a resultarnos más rocambolescos, incluso risibles.

Qué son los *chemtrails*

Los aviones obtienen la energía para desplazarse de la quema de combustibles fósiles. Cuando se produce la combustión, expulsan un gas que está muy caliente que contiene vapor de agua y que se condensa rápidamente cuando entra en contacto con el aire frío que hay a esas alturas. Por eso dejan tras de sí esas estelas llamadas *contrails* —no *chemtrails*—. Estas estelas no siempre se pueden observar, ya que este fenómeno de condensación depende de las condiciones atmosféricas: presión, temperatura y humedad. De hecho, que persistan esas estelas significa que en las capas altas de la atmósfera está entrando humedad, y, previsiblemente, eso implica que esa humedad viene de alguna borrasca. Si estamos en otoño o en invierno, son indicativos de que al día siguiente es probable que llueva.

La justificación más inverosímil de todas las posibles es que estas estelas se producen para envenenarnos y enriquecer a la industria farmacéutica. Pero existen otras muchas razones, igual de inverosímiles, con cierto grado de relación con la realidad. Una de ellas nos dice que los *chemtrails* se utilizan para manipular el clima. Estas supuestas amenazas de los *chemtrails* empezaron a denunciarse en Estados Unidos a finales de los años noventa y se expandieron rápidamente gracias a un programa radiofónico sobre lo paranormal, el de Art Bell, que se emitía de costa a costa.

En lugar de considerar que la persistencia de las estelas es consecuencia de la humedad atmosférica o de la entrada de una borrasca inminente, las teorías conspirativas plantean lo contrario, que las estelas son las que provocan las lluvias, no la consecuencia de estas.

En la naturaleza, las nubes se forman cuando el vapor de agua superenfriado se condensa y luego se congela en partículas, llamadas núcleos de hielo, hechas de polvo e incluso de bacterias. Las gotitas de agua pura no pueden formar un núcleo de cristal de hielo hasta que la temperatura descienda a cuarenta grados bajo cero. Sin embargo, si las nubes contienen partículas de aerosol, las moléculas de agua pueden utilizar las superficies sólidas de estas *semillas* para organizarse en una forma cristalina a temperaturas mucho más cálidas, de veinte grados bajo cero a cinco bajo cero.

En 1971, el científico atmosférico Bernard Vonnegut publicó un artículo en la prestigiosa revista *Nature* sobre cómo *sembrar nubes* empleando diferentes sales de plata, como bromuro y yoduro de plata. El yoduro de plata es un buen agente de nucleación debido a que su red cristalina hexagonal es casi idéntica a la red que las moléculas de agua forman en el hielo y los copos de nieve. Las moléculas de agua adyacentes a la sal de plata tienden a pegarse (nucleación), cristalizando a su alrededor y dando lugar a la formación de partículas de hielo. Si hay crecimiento suficiente, las partículas se vuelven lo suficientemente pesadas como para caer en forma de nieve (o, si se fusionan, en forma de lluvia). De otro modo no producen precipitación.

Teóricamente esto tiene sentido, pero lo cierto es que todavía no sabemos lo suficiente sobre las estructuras del agua cuando se va produciendo su cristalización como hielo, particularmente cuando este proceso ocurre en las superficies de otros materiales como el yoduro de plata. La nucleación de hielo es difícil de probar experimentalmente porque los actuales instrumentos no producen imágenes claras de moléculas individuales a medida que se congelan. No se conocen los procesos, y es muy complicado estimar qué parte de las precipitaciones están provocadas artificialmente y qué parte se producirían de forma natural. Las estimaciones actuales más optimistas hablan del aumento de un 10 % en las precipitaciones de cada nube sembrada artificialmente.

Conclusión

La realidad es que hacer que llueva es, de momento, más magia que ciencia. Es necesario seguir investigando para entender si la práctica funciona, cómo optimizarla y cuáles serían sus impactos ambientales, sociales y políticos.

Quizá los *chemtrails* que los *illuminati* tratan de ocultarnos, y con los que de paso nos enferman, sean los verdaderos responsables del cambio climático. Yo no lo creo. Yellow Mellow me ha vacunado contra la desinformación.

PRINCIPALES FUENTES CONSULTADAS

Cook, John, «Inoculation Theory: Using Misinformation to Fight Misinformation», en *The Conversation*, 14 de mayo de 2017, <http://theconversation.com/inoculation-theory-using-misinformation-to-fight-misinformation-77545>.

Macho, Marta, «Bernard Vonnegut: sembrando nubes», en *ZTFNews*, 29 de agosto de 2014, <https://ztfnews.wordpress.com/2014/08/29/bernard-vonnegut-sembrando-nubes>.

Pelley, Janet, «Does Cloud Seeding Really Work?», en *C&EN*, 2016, 94(22), págs. 18-21.

Vonnegut, Bernard; y Chessin, Henry, «Ice Nucleation by Coprecipitated Silver Iodide and Silver Bromide», en *Science*, 1971, 174(4012), págs. 945-946.

7. Comer chocolate hace que te salgan granos
Mitos de la cosmética

Como la mayoría de la gente, yo también he tenido algún problema con la piel. Entre ellos el acné. Los problemas surgieron en la adolescencia y me acompañaron hasta terminar la carrera. Lo que más quebraderos de cabeza me daba eran unos pequeños granitos que me salían en la frente. Fui al dermatólogo y este me recomendó una crema con peróxido de benzoílo. Es un tratamiento habitual, pero mi piel no pudo soportarlo. Se me secó e irritó la frente. Me resultó tan desagradable que enseguida tiré la toalla. Imaginaba que acabaría curándose solo, con la edad, pero eso no es así; el acné puede acompañarnos toda la vida.

Entre mi nefasta experiencia con aquel producto y la poca fe que por aquel entonces tenía en la cosmética, estuve muchos años sin utilizar ningún producto específico. Mi problema no era grave, ni siquiera era evidente, pero a mí me traía por el camino de la amargura.

Tiempo después, investigando por internet, me encontré con varios remedios caseros. Algunos incluso parecían tener fundamento científico. Algunos eran a base de mascarillas con miel, leche, bicarbonato o pasta de dientes.

¿QUÉ ES EL ACNÉ?

Aunque existen varios tipos, el acné es una afección de la piel que suele ser consecuencia de los cambios en nuestros niveles hormonales, por eso se da especialmente en la pubertad y durante los años de adolescencia.

Las hormonas llamadas andrógenos se encargan de establecer la comu-

nicación entre las glándulas sebáceas —las que generan el sebo de la piel—
y los folículos —pequeñas aberturas de la piel por las que se secreta el
sebo.

En esencia, el acné es la consecuencia de una mala comunicación entre
las glándulas sebáceas y los folículos. Normalmente, el sebo protege la piel
con una capa resistente al agua, pero los cambios hormonales provocan
que la secreción se acelere y la piel se vuelva más oleosa. Las capas exter-
nas de la piel se vuelven más gruesas y densas influidas por las mismas
hormonas. El resultado es que los folículos se obstruyen con una mezcla
densa de células y sebo. Se forman los puntos negros, en los que la mezcla se oscurece al entrar en contacto con el aire, o los puntos blancos, recu-
biertos por la superficie de la piel.

Aquí es donde se involucra una bacteria llamada *Propionibacterium acnes (P. acnes)*. Esta se multiplica en ambientes poco aireados, como los
poros obstruidos, causando inflamación. Las consecuencias: un aumento
de granitos enrojecidos, pústulas o incluso lesiones severas y profundas llamadas nódulos y quistes.

Las células encargadas de eliminar los residuos, los macrófagos, acaban
con los tejidos dañados y estimulan la piel para que repare el daño. Esto
lleva desde algunos días hasta semanas, según la gravedad del acné.

¿Hay alimentos que causan acné?

La preocupación por la influencia de la dieta en el acné surgió en los
años treinta, cuando el chocolate, el azúcar y el yodo estaban entre
los factores dietéticos implicados. En los estudios sobre el acné que
se hicieron hasta los años setenta no se encontró ninguna conexión
entre la dieta y el acné, así que este concepto se olvidó durante años.
En cambio, hace un par de décadas estas ideas volvieron a la palestra.
Se hicieron nuevos estudios, algunos concluyentes y otros no. De ahí
surgieron algunas certezas y proliferaron ciertos mitos. Veamos algunos de ellos:

LECHE

Se han realizado varios estudios, con diferentes rangos de edad y diferentes productos lácteos, que han llevado a concluir que el consumo de lácteos sí puede desencadenar acné. Todavía se desconoce qué

72

ingredientes de la leche son los responsables y, por tanto, cómo sucede esto. Existe mayor evidencia con el consumo de leche desnatada, cosa que podría atribuirse a la alfa-lactoalbúmina. Como esto no sucede siempre, no le ocurre a todo el mundo y no prevalece con todos los lácteos, consumir menos lácteos es un consejo que no hay que tomar muy en serio.

DULCES, GOLOSINAS Y OTROS ALIMENTOS DE ALTO ÍNDICE GLUCÉMICO

En teoría, las dietas de elevada carga glucémica aumentarían la concentración de insulina, estimulando la producción de sebo y contribuyendo a las lesiones de acné. La realidad es que los estudios demuestran que una dieta de baja carga glucémica mejora el acné. Por ello es recomendable dejar de consumir alimentos con azúcar añadido (dulces, bollería, golosinas, refrescos azucarados, etc.), edulcorantes como la miel o los siropes, así como el pan, la pasta o los cereales hechos con harinas blancas.

CHOCOLATE

Posiblemente el chocolate sea el alimento que más relacionamos con el acné, pero, sorpresa, es un mito. No existe ninguna evidencia científica que relacione el consumo de chocolate con el acné. De hecho, los antioxidantes que contiene el chocolate son beneficiosos para la piel.

Podemos pensar que la razón de este mito estriba en el tipo de chocolate que consumimos. Si el chocolate contiene azúcar, es un alimento de alto índice glucémico y, por tanto, sí podríamos relacionarlo con el acné. El problema del chocolate está en el azúcar, así que la mejor opción es tomar chocolate sin azúcar.

ALIMENTOS GRASOS COMO LA PIZZA O LAS PATATAS FRITAS

Un mito común sobre el acné es que la grasa alimentaria se traduce en más grasa en los poros, pero no hay una relación directa entre ambas. De todos modos, una dieta rica en grasas saturadas puede estimular las microinflamaciones en todos los órganos del cuerpo, incluida la piel.

¿Hay algún remedio casero que funcione contra el acné?

Si haces una búsqueda por internet, encontrarás remedios de todo tipo. Desde mejunjes a base de diferentes alimentos, como leche, miel y nuez moscada, a otros productos que, milagrosamente, harán desaparecer los granos, como el bicarbonato, la pasta de dientes o el Sudocrem.

Tanto el bicarbonato como la pasta de dientes son sustancias alcalinas y abrasivas que pueden avivar las lesiones e irritarte la piel. No emplees alimentos, como miel o yogur. Los azúcares que contienen servirán como alimento a la bacteria del acné. El Sudocrem es interesante si lo que tienes es un corte o arañazo, porque favorecerá la cicatrización, pero no actúa contra la causa del acné, y puede obstruir aún más los poros. Tampoco utilices ninguna otra crema que no esté indicada para el acné. Una crema comedogénica podría empeorar el problema.

Otro de los falsos remedios contra el acné es el sol. Probablemente hayas oído decir que tomar el sol y broncearse reseca los granos y los cura. No es así. El bronceado puede disimular algunas marcas del acné, pero la realidad es que recientemente se ha descubierto que la radiación ultravioleta del sol empeora el acné. Los efectos desecantes del sol provocarán que tu piel sufra un efecto rebote y se acelere la producción de sebo. El engrosamiento de la capa externa de la piel obstruirá los poros e impedirá que el sebo se libere adecuadamente. Para evitar esto, es necesario utilizar productos de protección solar específicos para pieles con acné, fluidos sin aceites y con texturas no comedogénicas.

¿Tiene la ciencia la cura contra el acné?

Para encontrar el mejor remedio contra el acné, seguro y eficaz, deberás acudir a tu médico, a tu dermatólogo, y preguntarle a tu farmacéutico. Según la gravedad del acné, tu tipo de piel, tu edad y tus hábitos de vida, te recomendará seguir un tratamiento u otro. Los más comunes son:

TRATAMIENTOS TÓPICOS

Son cremas que se aplican sobre la piel. Suelen contener peróxido de benzoílo y retinoides. El peróxido de benzoílo mata a la bacteria responsable del acné, reduce el enrojecimiento y exfolia las células muertas. La principal desventaja de este tipo de tratamiento es que puede dejar la piel enrojecida, irritada, con sequedad y con descamaciones superficiales visibles.

Los retinoides son un grupo de derivados de la vitamina A con resultados excepcionales contra el acné. Ayudan a exfoliar las células superficiales que obstruyen los poros. La desventaja es que fotosensibilizan la piel, por lo que solo pueden utilizarse por la noche o deben estar formulados en productos con protección solar.

Otras sustancias comunes en este tipo de cosméticos son la niacinamida —con efecto calmante—, la piroctona olamina y el glicacil —para luchar contra la proliferación bacteriana—, el procerad —una ceramida que evita las irritaciones y las marcas del acné—, el LHA, el ácido linoleico y el ácido salicílico —microexfoliantes y con acción queratolítica.

TRATAMIENTOS ORALES

Los tratamientos orales habituales son los antibióticos y la isotretinoína. Los tratamientos antibióticos solo se prescriben en casos de acné graves y cuando los tratamientos tópicos resultan insuficientes. La doxiciclina es el más habitual.

El principal inconveniente es que estos antibióticos hacen que la piel se vuelva muy sensible a la luz solar. Por eso es imprescindible combinarlos con cosméticos con protección solar, fórmulas ligeras y no comedogénicas.

La isotretinoína es el medicamento más potente contra el acné. Seca la fuente original del acné (el sebo excesivo) y detiene indefinidamente la aparición de granitos. Esta solución es el último recurso. Los pacientes deben monitorizar su respuesta corporal al tratamiento mediante análisis de sangre realizados con regularidad. Los efectos secundarios incluyen sequedad severa en la piel y en los labios o en las fosas nasales, lo que podría causar descamación, tirantez e incluso sangrado en la nariz. Además es fotosensibilizante, lo que significa que hace la piel más vulnerable al sol.

Si estás tomando isotretinoína, tendrás que mantener la piel hidratada con cremas hidratantes de textura rica y usar un alto índice de protección solar. Utiliza algún bálsamo labial específicamente diseñado para labios muy secos.

Conclusión

Si buscas remedios contra el acné, huye de todo aquel que te prometa resultados en unos días, milagros o recetas caseras. Leerás por ahí burradas como emplear bicarbonato, pasta de dientes, miel, yogur o Sudocrem. No utilices nada de eso.

Es fácil creer que algo que puedes comer y no te hace daño, como la leche y la miel, no podría dañar tu piel. Pero no es así. Los alimentos no son cosméticos y contienen sustancias que pueden avivar el problema o causar algún tipo de reacción adversa.

En mi caso, cuando terminé la carrera de Química, algunos de mis compañeros se decantaron por la cosmética. Ellos fueron mi nexo con esa ciencia y la razón por la que me atreví a volver a pedir asesoramiento. Esta es la conclusión: si tienes un problema de acné, pide asesoramiento. Consúltalo con tu médico, tu dermatólogo, tu farmacéutico.

Probé nuevos productos adaptados a mi piel y a mi estilo de vida, en mi caso sin peróxido de benzoílo, ya que resultó ser demasiado agresivo para mi piel. Esta vez sí tenía esperanzas. Me había librado de mis prejuicios gracias a entender la ciencia que hay tras el estudio del acné y de los productos cosméticos y farmacológicos que lo combaten. Tardé semanas en empezar a ver resultados, pero los resultados llegaron. Mi caso era un caso leve, que pude solucionar en poco tiempo y solo empleando tratamientos tópicos. Jamás he vuelto a tener esos molestos granitos en mi frente, ni marcas, ni irritaciones, ni rojeces. Ojalá hubiese sabido todo esto un poco antes.

PRINCIPALES FUENTES CONSULTADAS

Adebamowo, Clement A.; Spiegelman, Donna; Danby, F. William; Frazier, A. Lindsay; Willett Walter C.; y Holmes, Michelle D., «High School Dietary Dairy Intake and Teenage Acne», en *Journal of the American Academy of Dermatolology*, febrero de 2005, 52(2), págs. 207-214.

Adebamowo, Clement A.; *et al.*, «Milk Consumption and Acne in Adolescent Girls», en *Dermatology Online Journal*, 30 de mayo de 2006, 12(4):1.

—; *et al.*, «Milk Consumption and Acne in Teenaged Boys», en *Journal of the American Academy of Dermatolology*, mayo de 2008, 58(5), págs. 787-793.

Ángel, Arturo; Osborne, David W.; y Dow, Gordon J., *Topical Acne Vulgairs Medication with a Sunscreen*, patente US7252816 B1, 2007.

«De granos, leche y chocolate», en Dermapixel, 25 de abril de 2012, <www.dermapixel.com/2012/04/de-granos-leche-y-chocolate.html>.

«Mitos sobre los alimentos que producen acné», en La Roche-Posay, <www.laroche-posay.es/articulo/Que-alimentos-producen-acne-mitos-y-verdades-La-Roche-Posay/a25719.aspx>.

Pappas, Apostolos, «The Relationship of Diet And Acné. A Review», en *Dermato-Endocrinology*, septiembre-octubre de 2009, 1(5), págs. 262-267.

«¿Qué es el acné y cuáles son sus causas?», en La Roche-Posay, <www.laroche-posay.es/articulo/Que-es-y-cuales-son-las-causas-del-acne-La-Roche-Posay/a25724.aspx>.

Smith, Robyn N.; Mann, Neil J.; Braue, Anna; Mäkeläinen, Henna; Varigo, George A., «A Low-Glycemic-load Diet Improves Symptoms in Acne Vulgaris Patients: A Randomized Controlled Trial», en *The American Journal of Clinical Nutrition*, julio de 2007, 86(1), págs. 107-115.

8. Me blanqueo los dientes con bicarbonato y limón
Mitos de la cosmética

El bicarbonato es el típico producto que nuestros abuelos tienen en casa, que no sirve para nada o, todo lo contrario, sirve para absolutamente todo. Seguro que llevas toda la vida preguntándote por qué tienen un bote de bicarbonato en la cocina, y quizá otro en el baño, posiblemente de un fabricante que ya no existe y ya convertido en una especie de fósil. Si buscas por internet para qué sirve, es bastante probable que te encuentres con que milagrosamente sirve para todo. Para lo que más, para que los bizcochos te queden esponjosos y para blanquearte los dientes; así de polifacético es el bicarbonato.

Uno de los trucos caseros que me han contado para lucir una sonrisa radiante consiste en cepillarse los dientes con una pasta hecha con aceite de coco, esencia de menta y bicarbonato. El segundo consiste en un enjuague a base de agua, vinagre y bicarbonato. El tercero, posiblemente el más difundido en las redes sociales, consiste en cepillarse los dientes con una pasta hecha con limón y bicarbonato. El último se basa en restregarse los dientes con frutas, con fresas machacadas, con la piel de un plátano y, sorpresa, todo mezclado con bicarbonato.

¿POR QUÉ SE OSCURECEN LOS DIENTES?

El esmalte dental es la parte más superficial de nuestros dientes, es insensible al dolor y está formado principalmente por hidroxiapatita, un compuesto de calcio. Bajo el esmalte se encuentra la dentina, que es donde sí tenemos sensibilidad. Unas encías retraídas o un esmalte erosionado o permeable dejan al descubierto la dentina y, por tanto, ocasionan la temible sensibilidad dental.

Las manchas que a veces aparecen en los dientes pueden ser blancas, amarillas o marrones, dependiendo de cuál sea la causa. Las más comunes son las amarillas, que suelen deberse a un deterioro del esmalte que, además, ocasiona un aumento de la sensibilidad dental al frío, al calor y al dulce. En este caso, los dientes afectados suelen tener los bordes ligeramente translúcidos. Las causas pueden ser desde sustancias o alimentos ácidos, como los cítricos, el vinagre, los jugos gástricos o agentes blanqueantes, el bruxismo o que nos cepillemos los dientes de forma agresiva.

Las manchas marrones en la mayoría de los casos están causadas por el tabaco o el consumo excesivo de alcohol, café o té negro. Todas ellas, al margen de los colorantes que contienen, alteran el equilibrio de la flora bacteriana presente en la cavidad oral y favorecen la formación de placas de sarro que se pueden percibir en la línea de las encías y que facilitan tanto la formación de caries como el desarrollo de otras patologías.

Las manchas blancas son las menos comunes. Lo más habitual es que la causa sea una descalcificación de zonas aisladas del esmalte dental y, en general, suelen ser el anuncio de la futura aparición de caries. También es posible que se deba a un problema surgido en la formación de los dientes definitivos. Otra posible causa es la de los tratamientos de ortodoncia cuando no se mantiene una higiene oral adecuada, lo que facilita la acumulación de placa bacteriana bajo los *brackets*.

Yo he probado el bicarbonato con limón y funciona

Si alguna vez has probado a frotarte los dientes con limón y bicarbonato, o algo similar, quizá hayas comprobado que, tras unos días haciendo eso, tus dientes parecían más blancos. Esto tiene truco y tiene consecuencias.

La mayoría de remedios caseros para blanquear los dientes se centran en el bicarbonato. El bicarbonato es una sal y, como tal, forma minúsculos cristales. Si frotamos estos cristales contra nuestros dientes, suspendidos en agua o en un aceite, estaremos rayando nuestro esmalte, es decir, destruyendo un tejido que no se regenera.

Los productos comerciales blanqueadores que contienen bicarbonato, sílice hidratada, alúmina o fosfato cálcico también son abrasivos, pero están formulados para que la exfoliación sea homogénea y superficial. Aun así, no se debe abusar de ellos y están contraindicados en casos de sensibilidad dental.

Los ácidos también causan erosión, en este caso porque son capaces de disolver la hidroxiapatita que compone el esmalte. Si nos frotamos los dientes con zumo de limón, vinagre o con cualquier fruta rica en ácidos, estaremos promoviendo la desaparición del esmalte.

Tanto el bicarbonato como el ácido del limón o del vinagre hacen que el esmalte se erosione. El esmalte no se regenera, con lo que estaremos dejando nuestra dentina más expuesta, con los consecuentes problemas de salud que eso acarrea. Hay que tener en cuenta que, al erosionar el esmalte, también estamos arrancando las manchas; por eso puede parecer que el remedio funciona. Pero lo que realmente estamos haciendo es algo tan descabellado como limarnos los dientes e ir quedándonos sin esmalte.

Cómo prevenir y curar unos dientes oscurecidos

Después de consumir una sustancia ácida, como un zumo o un refresco de cola (que contiene ácido fosfórico), no debemos utilizar pasta de dientes inmediatamente, sino que lo aconsejable es enjuagarse la boca con agua y esperar varios minutos antes de lavarlos de forma habitual.

Para mantener los dientes blancos hay que llevar una dieta pobre en alimentos con colorantes potenciales, no tomar café, no fumar, tomar té blanco o verde en vez de negro, tener una higiene bucodental adecuada, visitar al dentista para hacer limpiezas cada seis meses o por lo menos una vez al año.

Si tienes manchas en los dientes o un esmalte oscurecido, lo primero que debes hacer es acudir al dentista, estudiar las causas y diseñar un tratamiento personalizado. Los tratamientos blanqueadores profesionales habituales se basan en aplicar un concentrado de peróxido de hidrógeno que puede ser activado o no por luz (láser, led, etc.), y, en los tratamientos que se llevan a cabo en casa, prescritos por el dentista, se utiliza peróxido de carbamida, con el que se rellenan unos moldes a medida. En ambos casos se consigue el blanqueamiento por medio de reacciones de oxidación controladas que no erosionan el esmalte.

Conclusión

Los remedios caseros a base de sustancias ácidas, como el limón, y abrasivas, como el bicarbonato, combinan dos formas de erosionar el esmalte. Una por ataque ácido y la otra por fricción. Ambas producirán daños irreparables.

Lo peligroso de estos métodos es que a corto plazo parecen dar buen resultado. Como se elimina la capa oscurecida de los dientes, sí que obtenemos un leve blanqueamiento (aunque incomparable con un blanqueamiento profesional). Este resultado se debe al desgaste del esmalte del diente y, a largo plazo, resultará muy perjudicial para nuestra salud dental.

PRINCIPALES FUENTES CONSULTADAS

Peydro, Marta, «¿Realmente blanquean los dentífricos blanqueadores?», en «El blog de Peydro Herrero», 10 de diciembre de 2013, <www.sonri saespectacular.com/2013/12/dentifricos-blanqueadores/>.
Scaramucci, Tais; Hara, Anderson T.; Zero, Domenick T.; Ferreira, Stella S.; Aoki, Idalina V.; Sobral, Maria Angela P., «Development of an Orange Juice Surrogate for the Study of Dental Erosion», en *Brazilian Dental Journal*, 2011, 22(6), págs. 473-478.
Sensodyne, «¿Qué causa la sensibilidad dental?», en *Sensodyne*, <www. sensodyne.es/Sobre-sensibilidad-dental/Causas-sensibilidad-dental. html>.
Vieira, Dario, «¿Cómo funciona el blanqueamiento dental?», en *Propdental*, 24 de septiembre de 2013, <www.propdental.es/blog/estetica-dental/ como-funciona-el-blanqueamiento-dental/>.

9. Una copita de vino es buena para la salud
Mitos de la medicina

Hemos oído decir tantas veces eso de que «una copita de vino es buena para la salud» que parece verdad. Recuerdo a mi abuela, que no solía tomar alcohol, diciendo que el vino era bueno para el corazón. En los días de fiesta, con las mejillas encendidas y los labios tintados, disfrutaba mojando un pedazo de pan en sus sopas de burro cansado. Las sopas de burro cansado son un postre típico gallego: vino tinto caliente con azúcar y migas de pan duro. Si es tradicional, tiene que ser bueno. Si toda la vida se ha dicho que el vino es bueno para la salud, será cierto. ¿O no?

El origen de la creencia

Hay intereses de diversa naturaleza que han llevado a perpetuar hasta nuestros días la idea de que el vino es saludable, al menos una copita. Las bondades se las atribuimos a algunas de las sustancias que contiene, como flavonoides y antioxidantes como los polifenoles, entre ellos el más famoso, el resveratrol. Del resveratrol incluso se ha llegado a decir que era algo así como el elixir de la eterna juventud, que ayuda a prevenir daños en los vasos sanguíneos, que previene la obesidad y la diabetes, ambos factores de riesgo cardíaco. Ninguna de estas virtudes ha podido demostrarse con estudios en seres humanos.

El mito no surgió de la nada. Algunas de estas bondades del resveratrol se probaron en ratones, gusanos y moscas, y de ahí el resveratrol llegó con fuerza al mercado de los suplementos alimenticios. Pero se encontraron con un problema, y es que no es legal decir que un producto «ralentiza el envejecimiento celular» por llevar resveratrol, porque no funciona así en humanos. Pero sí se puede decir si contiene selenio. Y tampoco se puede decir del resveratrol que «ayuda al funcionamiento normal del corazón». En cambio, esto último sí se puede decir de la vitamina B1. Añadir vitamina B1 y selenio a estos suplementos fue la treta que emplearon algunas marcas para poder afirmar legalmente que sus productos con resveratrol son buenos para el corazón.

De la tradición informativa e interesada sobre los beneficios del vino a los modernos suplementos alimenticios, el caso es que seguimos creyendo que un consumo moderado de vino es saludable. Decir lo contrario es ser un aguafiestas e ir en contra de todo lo que se ha dicho hasta ahora. Pero ¿qué dicen sobre el consumo moderado de vino las principales organizaciones de la salud? ¿Qué conclusiones se han extraído de los numerosos estudios científicos que se han hecho al respecto?

Qué dice la ciencia sobre el consumo de vino y la salud

Ya en 2012, la OMS publicaba en su informe *Alcohol in the European Union* que «el alcohol es perjudicial para el sistema cardiovascular». La Comisión Europea también publicó que «un consumo moderado de alcohol aumenta el riesgo a largo plazo de sufrir cardiopatías».

En 2014, la revista *British Medical Journal* publicaba una extensa revisión de cincuenta y seis estudios epidemiológicos sobre consumo de alcohol. La conclusión fue clara y contundente: «El consumo de alcohol aumenta los eventos coronarios en todos los bebedores, incluyendo aquellos que beben moderadamente».

En 2016, en la revista *BMC Public Health* se publicó que cada año mueren 780.381 personas por enfermedades cardiovasculares atribuibles al consumo de alcohol.

Tampoco es cierto que el consumo moderado de alcohol prevenga la mortalidad, sino que «el bajo consumo de alcohol no ejerce beneficios netos en la mortalidad al compararlo con la abstinencia de por vida o el consumo ocasional de alcohol», tal y como se ha publicado en 2016 en la revista *Journal of Studies on Alcohol and Drugs*.

A pesar de todos estos estudios, todavía existe controversia acerca de los resultados que pueden concluirse de ellos. En parte porque buscamos que no sea así, principalmente por el valor cultural y gastronómico del vino. Por ejemplo, en 2014 se publicó un estudio observacional sobre el consumo de alcohol en la dieta mediterránea en el que se tuvieron en cuenta, además de la cantidad de alcohol consumida diaria, la frecuencia de consumo semanal, el tipo de bebida alcohólica, si se toma preferentemente con las comidas y si se abusa en algunas ocasiones. Teniendo en cuenta todos estos factores, concluyeron que un patrón de consumo mediterráneo (consumo moderado diario, sobre todo de vino, durante las comidas y sin abuso irregular) conduce a un menor riesgo de mortalidad en comparación con los abstemios.

Sin embargo, cada vez más se entiende que gran parte de este efecto se debe a «factores de confusión». Los factores de confusión son variables que se deben tener en cuenta a la hora de establecer las relaciones entre alcohol y salud. Por ejemplo, el estatus económico, la edad, la educación, el consumo de tabaco, drogas, etc. Muchas veces, si no se tienen en cuenta estos confundidores, aparecen relaciones donde en realidad no las hay. Por ejemplo, las personas que consumen vino habitualmente podrían tener mejor calidad de vida, pero no debido a las virtudes del vino, sino a su mayor poder adquisitivo o a otros hábitos relacionados con la alimentación o el ejercicio. A causa de esto, todavía hay cierto debate científico sobre los perjuicios y beneficios para el corazón del consumo moderado de alcohol. Por supuesto, no hay discusión sobre el consumo de alcohol en grandes cantidades.

Aun así, los estudios científicos han concluido que el consumo de alcohol está relacionado, además de con algunos eventos coronarios, con otras patologías y enfermedades de forma contundente, como es el caso de hasta seis tipos de cáncer. Tampoco podemos obviar que no es posible predecir en qué personas el alcoholismo se convertirá en un problema. No olvidemos que el alcohol es una droga.

A causa de este y de otros riesgos, la Asociación Americana del Corazón advierte a la población que no empiece a beber alcohol. Estas conclusiones son extrapolables a todas las bebidas alcohólicas: cerveza, ginebra, ron, etcétera.

El alcohol produce cáncer

Resulta que el consumo de bebidas alcohólicas también se relaciona con el riesgo de cáncer, con el mayor nivel de evidencia posible. La OMS, en su *Informe mundial de situación sobre alcohol y salud* publicado en 2015, concretó que «un consumo tan bajo como una bebida diaria causa un aumento significativo del riesgo de algunos tipos de cáncer».

En 2016, el Fondo Mundial para la Investigación del Cáncer detalló que «existen evidencias científicas sólidas de que el alcohol incrementa el riesgo de padecer seis cánceres: mama, intestino, hígado, boca/garganta, esófago y estómago». Las conclusiones fueron rotundas y reveladoras. Hasta entonces se desconocían los mecanismos biológicos por los cuales el alcohol aumentaba el riesgo de padecer cáncer. En este estudio se descubrió que el vínculo entre consumo de alcohol y cáncer iba más allá de la estadística. «No se trata de un simple vínculo, sino de una relación causal bien establecida: el agente responsable directo del desarrollo de los cánceres citados es el consumo de alcohol, incluso a dosis relativamente bajas.»

En el documento informativo del Fondo Mundial para la Investigación del Cáncer aparece una fotografía de unas copas de vino. No es casualidad. El vino es, sin duda, la bebida alcohólica sobre la que se han creado más mitos relacionados con la salud. Ya es hora de dejarlos atrás.

Conclusión

Consumimos vino como parte de nuestra tradición cultural, como parte de los actos sociales, por gusto y por placer. Que cada cual juzgue si estas razones son buenas o no y valore los riesgos asociados que acarrean. En cambio, sabemos con certeza que la salud cardiovascular no es una razón por la que consumir vino, sino todo lo contrario. El consumo de vino, incluso el moderado, el de una copita, no hace daño a nadie, aumenta el riesgo de padecer algunas cardiopatías y produce hasta seis tipos de cáncer. Si quieres buscarte una excusa para tomarte esa copita de vino, que no sea tu salud. La razón que encuentres siempre será a costa de ella.

PRINCIPALES FUENTES CONSULTADAS

Basulto, J., «Cuanto menos alcohol, mejor. Cuanto más, peor. Y no hablo del orujo…», en «Comer o No Comer», 19 de mayo de 2014, <http://co meronocomer.es/la-carta/cuanto-menos-alcohol-mejor-cuanto-mas-peor-y-no-hablo-del-orujo>.

Braveman, Paula; y Gottlieb, Laura, «The Social Determinants of Health: It's Time to Consider the Causes of the Causes», en *Public Health Reports*, enero-febrero 2014, 129(sup. 2), págs. 19-31.

Comisión Europea, *Alcohol*, <https://ec.europa.eu/health/alcohol/policy_ es>, 2017.

Gea, Alfredo; *et al.*, «Mediterranean Alcohol-drinking Pattern and Mortality in the SUN (Seguimiento Universidad de Navarra) Project: A Prospective Cohort Study», en *British Journal of Nutrition*, 28 de mayo de 2014, 111(10), págs. 1.871-1.880.

Holmes, Michael V.; Dale, Caroline E.; Zuccolo, Luisa; *et al.*, «Association Between Alcohol and Cardiovascular Disease: Mendelian Randomisation Analysis Based on Individual Participant Data», en *BMJ*, 10 de julio de 2014, 349, g4164.

Kushi, LH; *et al.*, «American Cancer Society Guidelines on Nutrition and Physical Activity for Cancer Prevention: Reducing the Risk of Cancer with Healthy Food Choices and Physical Activity», en *CA A Cancer Journal for Clinicians*, enero-febrero de 2012, 62(1), págs. 30-67.

Naimi, Timothy S.; Stockwell, Timothy; Saitz, Richard; y Chikritzhs, Tanya, «Selection Bias and Relationships Between Alcohol Consumption and Mortality», en *Addiction*, febrero de 2017, 112(2), págs. 220-221.

OMS, *Informe mundial de situación sobre alcohol y salud*, s. l., Organización Mundial de la Salud, 2014.

—, *Alcohol in the European Union. Consumption, Harm and Policy Approaches*, Copenhague, OMS, 2012.

—, *European Action Plan to Reduce the Harmful Use of Alcohol: 2012-2020*, Copenhague, OMS, 2012.

Pérez, Juan Ignacio, «Beber alcohol produce cáncer», en *Cuaderno de Cultura Científica de la UPV/EHU*, 13 de noviembre de 2016, <https://culturacientifica.com/2016/11/13/beber-alcohol-produce-cancer/>.

Rehm, Jürgen; Shield, Kevin D.; Roerecke, Michael; y Gmel, Gerrit, «Modelling the Impact of Alcohol Consumption on Cardiovascular Disease Mortality for Comparative Risk Assessments: An Overview», en *BMC Public Health*, 28 de abril de 2016, 16, pág. 363.

Revenga, Juan, «Informe OMS 2014: consumo de alcohol y salud en el mundo», blog «El nutricionista de la General», 19 de mayo de 2014, <http://juanrevenga.com/2014/05/informe-oms-2014-consumo-de-alcohol-y-salud-en-el-mundo/>.

Stockwell, Tim; Zhao, Jinhui; Panwar, Sapna; Roemer, Audra; Naimi, Timothy; y Chikritzhs, Tanya, «Do 'Moderate' Drinkers Have Reduced Mortality Risk? A Systematic Review and Meta-Analysis of Alcohol Consumption and All-Cause Mortality», en *Journal of Studies on Alcohol and Drugs*, 22 de marzo de 2016, 77(2), págs. 185-198.

WCRF, «Alcohol & Cancer», en World Cancer Research Fund. <http://www.wcrf.org/int/cancer-facts-figures/link-between-lifestyle-cancer-risk/alcohol-cancer>, 2017.

10. Retiran una crema del mercado por cancerígena
Mitos de la cosmética

Cosméticos «libres de tóxicos». Esa publicidad existe. En inglés también, que mola más. Cosméticos *toxic free*. Y piensas: «Menos mal que por fin un laboratorio de cosmética deja de incluir veneno en la composición de sus productos». ¿En serio?

En agosto de 2012, los medios de comunicación se hicieron eco de una noticia: once cremas de una conocida cadena de supermercados habían sido retiradas del mercado. La causa era que en ellas se incluían dos ingredientes a partir de los cuales se podrían producir unos compuestos cancerígenos denominados nitrosaminas. Todos los años se vuelve a compartir la noticia a través de las redes sociales como si fuese nueva información y, desde entonces, la alarma reaparece cada verano.

QUÉ ES UN PRODUCTO COSMÉTICO

Antes de entrar en materia resulta imprescindible recordar qué es un producto cosmético. La definición legal de producto cosmético es: «Toda sustancia o mezcla destinada a ser puesta en contacto con las diversas partes superficiales del cuerpo humano (epidermis, sistema piloso y capilar, uñas, labios y órganos genitales externos) o con los dientes y las mucosas bucales, con el fin exclusivo o principal de limpiarlos, perfumarlos, modificar su aspecto y/o corregir los olores corporales y/o protegerlos o mantenerlos en buen estado».

Así que un cosmético no solo es una crema antiarrugas, sino que también lo es un gel de ducha, una crema hidratante, un desodorante, un perfume o un dentífrico. Todos usamos productos cosméticos, así que su seguridad nos concierne a todos.

¿Cómo se regulan los productos cosméticos?

Para toda la Unión Europea (UE) existe un extenso y detallado reglamento sobre productos cosméticos llamado Reglamento (CE) n.º 1223/2009 del Parlamento Europeo y del Consejo, de 30 de noviembre de 2009, sobre los productos cosméticos. Este reglamento es público y puede consultarse en internet.

Los puntos interesantes de este reglamento, los que atañen a la seguridad de los productos cosméticos, son los siguientes:

- Cómo ha de fabricarse un producto cosmético, es decir, las buenas prácticas de fabricación. Entre ellas encontramos, por ejemplo, la prohibición del uso de animales en experimentación.
- Cómo ha de etiquetarse un producto cosmético. Aquí se especifica que en la etiqueta deben figurar todos los ingredientes del producto, ordenados de mayor a menor cantidad en el producto final, y con un tipo de nomenclatura internacional llamada nomenclatura INCI. Esto quiere decir que el nombre con el que aparece cada una de las sustancias que componen el producto está regulado. Por ejemplo, un cosmético que dice tener vitamina C en su composición aparecerá en la lista de ingredientes bajo otra nomenclatura, generalmente como ascorbato o ácido ascórbico. También aparecen los símbolos que han de emplearse para las instrucciones, la fecha de duración mínima o de consumo preferente.
- Listas de ingredientes que pueden utilizarse en un producto cosmético. Estas listas aparecen como anexos al reglamento. Hay una lista para cada tipo de ingrediente: colorantes, conservantes, filtros solares, etc. Cada uno de esos ingredientes ha sido evaluado individualmente, y, en cuanto su seguridad ha sido verificada, ha pasado a formar parte de la lista. En estas listas se especifica el nombre comercial del producto (INCI), las indicaciones, la concentración máxima permitida, advertencias que han de figurar en el envase, etc. El encabezado de estas listas es el siguiente:
  - Ingredientes prohibidos. Aquí figuran los ingredientes que no pueden contener los productos cosméticos, o bien por-

que serían perjudiciales para la salud o para el medioambiente, o bien porque su uso necesitaría prescripción médica.
- Cómo se analizan los productos cosméticos antes de salir al mercado.
- Quiénes son los responsables —fabricantes, distribuidores, administración, etc.—, las competencias de cada uno de ellos y las sanciones que se deben aplicar en cada caso.

El reglamento sobre productos cosméticos es férreo y contundente, con lo que su cumplimiento nos asegura que es imposible que ningún cosmético pueda llegar al mercado si no cumple alguna de las especificaciones. Tenemos un reglamento impecable, una garantía sobre el papel. La duda, entonces, recae sobre cómo se controla que el reglamento se cumple.

¿Cómo se controla que el reglamento se cumple?

En la Unión Europea, cada país tiene uno o varios organismos institucionales dedicados a velar por el cumplimiento del reglamento. Son organismos públicos y, por tanto, desvinculados del sector privado, que actúan con absoluta independencia.

Para poner como ejemplo uno de esos países, voy a resumir cómo funciona en España.

En España, el organismo principal que vela por el cumplimiento de este reglamento es la Agencia Española de Medicamentos y Productos Sanitarios (AEMPS).

- Fabricación: comprueban que los productos cosméticos que vayan a salir al mercado han cumplido las normas de correcta fabricación, tales como pautas sanitarias, no uso de animales de experimentación, etc. Así que resulta imposible que un producto que no cumpla estas especificaciones llegue al mercado.
- Composición: analizan que todos los ingredientes que figuran en el etiquetado sean efectivamente los que contiene el produc-

to. Así que resulta imposible que un cosmético con un ingrediente sospechoso o peligroso llegue al mercado.

- Etiquetado: se comprueba que las especificaciones del etiquetado son las que se requieren en el reglamento, como fecha de duración mínima, instrucciones de uso, advertencias, etcétera.
- Publicidad: se comprueba que existe concordancia entre la formulación del producto y su especificidad.
- Notas informativas: ante cualquier incidencia surgida, redactarán las notas informativas pertinentes que llegarán a los establecimientos (farmacias, perfumerías, gran consumo, etc.) y a los medios de comunicación.
- Atención de denuncias: cada vez que se detecte alguna anomalía en un producto cosmético, ya sea una errata en el etiquetado, un defecto en el envase, un defecto en la apariencia del producto, una reacción alérgica, etc., el consumidor deberá comunicarlo. Esta denuncia puede hacerse directamente en la AEMPS o, lo más habitual, ante el establecimiento de compra o al distribuidor, a los que podemos dirigirnos para alertar de la anomalía, ya que están obligados a informar de las denuncias recibidas.
- Cosmetovigilancia: toma de muestras aleatorias de productos cosméticos que ya estén en el mercado para comprobar que siguen cumpliendo las especificaciones originales.
- En el caso de productos importados, han de hacerse los controles en frontera. De esto se encargan los Servicios de Inspección Farmacéutica. Este servicio impide la entrada en el mercado de productos que no cumplan alguna de las especificaciones del reglamento. Así, no podrán comercializarse dentro de la UE productos que contengan ingredientes que no figuren en el reglamento, mal etiquetados o que se hayan fabricado en laboratorios del extranjero donde sí estuviese permitido el uso de animales de experimentación.

Tanto el reglamento como los procedimientos que cada cosmético ha de superar hasta llegar al mercado garantizan que todos los productos cosméticos de curso legal sean seguros. No hay ninguna razón lógica para dudar de ningún producto que esté en el mercado, adquirido en un establecimiento de confianza, debidamente etiquetado, etcétera.

¿QUÉ DEBEMOS HACER PARA ESTAR SEGUROS DE LOS COSMÉTICOS QUE CONSUMIMOS?

Leer las instrucciones

Leer las instrucciones del producto cosmético y utilizarlo de acuerdo con ellas. Hacer un uso inadecuado de un cosmético sí puede convertirlo en inseguro. Todos los cosméticos tienen instrucciones, o bien en el envase, o bien en una etiqueta desplegable, o bien en un prospecto adjunto.

Fecha de duración mínima

Utilizar el producto antes de la fecha de duración mínima (si la hay). Más allá de esa fecha, el producto puede estar caducado, ser inseguro e ineficaz. La fecha se acompaña de un símbolo de un reloj de arena.

Período después de la apertura (PAO)

Una vez abierto el producto, ha de consumirse antes del plazo establecido por el PAO *(period after opening)*, que se indica con un número seguido de la letra M escritos dentro del símbolo de un bote con la tapa abierta. Ese número indica la cantidad de meses que el producto puede utilizarse con seguridad una vez abierto. Más allá de ese plazo, el fabricante no puede garantizar la seguridad y efectividad del producto.

Hay que tener en cuenta que muchos productos cosméticos contienen gran cantidad de nutrientes y además es habitual tenerlos en el baño, un medio húmedo y cálido, así que podrían ser un caldo de cultivo idóneo para la proliferación de microorganismos que alterasen la eficacia y seguridad del producto. El PAO se calcula teniendo esto en cuenta, por eso es tan importante no consumir ningún cosmético más allá de ese tiempo aunque aparentemente esté en buen estado.

No comprar falsificaciones ni productos «caseros»

No comprar productos falsificados o de origen desconocido, por mucho que se parezcan al producto original porque, además de la cuestión ética, no podemos asegurar que hayan pasado los controles sanitarios.

No comprar productos sin etiquetar, de fabricación casera o artesanal que hayan sorteado los mecanismos de control reglamentarios, por mucha confianza que nos dé el vendedor, o porque haya conseguido colar sus productos ilegales en un puesto de ventas en una feria o mercadillo lícito.

La estrategia publicitaria del miedo

Cosméticos «libres de tóxicos». Parece una broma de mal gusto. Te hace creer que hay productos en el mercado que contienen sustancias peligrosas y que se pueden vender alegremente. Hasta enumeran esos compuestos, desde parabenos a siliconas u otros con nombres impronunciables.

Este tipo de publicidad hace creer a los consumidores que existen productos cosméticos con ingredientes peligrosos en su composición. En el reglamento sobre productos cosméticos se especifica que «las reivindicaciones relativas a productos cosméticos han de ser objetivas y no denigrar a los competidores, ni denigrar ingredientes utilizados legalmente» y que «las reivindicaciones relativas a productos cosméticos no deben crear confusión con productos competidores».

A mi juicio, el reclamo de «libre de tóxicos» no cumple estas especificaciones del reglamento. Primero porque denigra ingredientes de curso legal que, si lo son, es porque han pasado los controles sanitarios. No son venenos, son sustancias útiles en un cosmético, que cumplen una función y que no producen daños en la salud. Segundo, evidentemente este tipo de publicidad confunde al consumidor. Utilizan la rastrera estrategia del miedo. Para ello se aprovechan de que una gran parte de la población no tiene conocimientos en formulación cosmética, con lo que una retahíla de nombres químicos les resulta suficiente para hacer que el consumidor se preocupe. Este tipo de publicidad es una forma de llamar ignorantes a los consumidores, por eso me resulta tan execrable. Yo no quiero que me llamen idiota.

Lo grave es que estamos tan acostumbrados a este tipo de estrategias publicitarias que empiezan a parecernos normales. Lo mejor en estos casos, para ser conscientes de la gravedad del asunto, es imaginarnos estos reclamos en otro tipo de productos. Por ejemplo, imaginemos una caja de galletas cuya etiqueta contenga el eslogan «libre de tóxicos». ¿Qué pensaríamos al respecto? Efectivamente, pensaríamos que trata de confundir al consumidor, que trata de hacerle creer que hay otras galletas a la venta con sustancias tóxicas en su composición. Es decir, nos parecería una soberana tontería y un insulto a la inteligencia. E incluso voy más allá. Si solo se te ocurre publicitar tus productos cosméticos diciendo «libre de tóxicos» es que posiblemente no tengas nada interesante que ofrecer.

Qué relación hay entre la cosmética y el cáncer

Hay mucha investigación científica detrás de cada uno de los productos cosméticos; por eso funcionan (unos mejor que otros) y son seguros (todos los que llegan al mercado lo son y se revisan periódicamente). Unos se destinan a tratar aspectos más superficiales —aunque muchas veces lo superficial resulta imprescindible— y otros a aspectos de calado vital —desde una dermatitis que produce picazón y dolor, a una eritrodisestesia palmoplantar que puede impedirte caminar.

Es en este punto donde existe una estrecha relación entre la cosmética y algo tan delicado como los efectos adversos derivados de los tratamientos oncológicos. Esto es muy diferente a lo que se suele interpretar cuando vemos enlazadas las palabras *cosmética* y *cáncer*. Ni los cosméticos producen cáncer, ni lo curan, ni lo previenen.

La única relación entre la cosmética y el cáncer es la parte de la cosmética que se dedica a aliviar los efectos secundarios de los tratamientos oncológicos. Es lo que suele denominarse *oncocosmética*.

En las últimas décadas se han producido enormes avances en los tratamientos para el cáncer que han incorporado a la quimioterapia convencional un grupo de fármacos dirigidos a dianas moleculares. Estos fármacos presentan enormes ventajas, como un mejor control de la enfermedad tumoral y una administración más cómoda para el paciente, pero también presentan un perfil de efectos adversos distintos a los de la quimioterapia clásica.

La toxicidad cutánea de este tipo de terapias es frecuente, y en ocasiones puede ser discapacitante y severa, produciendo incomodidad, malestar y perjuicio estético. La prevención y el tratamiento de estos efectos adversos mejora la calidad de vida de los pacientes y, por tanto, la adherencia terapéutica a los tratamientos oncológicos.

Por otro lado, los tratamientos por radioterapia y la cirugía tienen una acción directa sobre zonas cutáneas concretas. En cambio, los tratamientos con quimioterapia y terapias dirigidas suelen producir alteraciones heterogéneas sobre la piel y los anexos (cabello y uñas) en diferentes grados.

Existen productos cosméticos capaces de mejorar la calidad de vida de los pacientes con cáncer y favorecer la adherencia terapéutica a los tratamientos oncológicos.

La cosmética y el cáncer sí están relacionados, pero no a través de una relación perversa, sino a través de la oncocosmética, la parte de la cosmética que se encarga de diseñar productos basados en evidencias científicas que alivian los efectos secundarios de las terapias oncológicas.

Efectos adversos de la radioterapia y sus paliativos cosméticos

El efecto adverso más común de la radioterapia es la radiodermitis. La radiodermitis es el daño de las células cutáneas superficiales y los vasos sanguíneos de la piel, que causa eritema (enrojecimiento), descamaciones, cambios de pigmentación, poiquilodermia (engrosamiento y endurecimiento de la piel) y piel de naranja.

El cuidado cosmético de la radiodermitis se basa en utilizar al menos dos veces al día una sustancia hidratante, pero nunca en aplicar el producto durante las cuatro horas anteriores a la sesión de radioterapia. Hay hidratantes formuladas específicamente para estos casos; son las apropiadas para pieles atópicas y sensibles que alivian el picor y previenen las irritaciones. Estas cremas contienen algún bálsamo relipidizante, como por ejemplo la manteca de karité, cuya nomenclatura INCI (la que se usa en cosmética y, por tanto, la que figura en el etiquetado) es *Butyrospermum parkii (shea butter)*. Es la grasa extraída de los frutos secos del árbol de karité (del mismo nombre: *Butyrospermum parkii*), originario de África.

Químicamente está compuesta por ácido palmítico (2%-6%), ácido esteárico (15%-25%), ácido oleico (60%-70%), ácido linolénico (5%-15%), ácido linoleico (<1%), así como una fracción insaponificable que le confiere una gran capacidad hidratante y emoliente. Contiene antioxidantes como los tocoferoles (vitamina E) y catequinas (que también se encuentran en el té verde). Se han detectado otros compuestos específicos como alcoholes triterpénicos, que reducen la inflamación; ésteres de ácidos cinámicos, que tienen una capacidad limitada de absorber radiación ultravioleta; y lupeol, que impide los efectos del envejecimiento de la piel inhibiendo enzimas que degradan las proteínas. También protege la piel estimulando la producción de proteínas estructurales por células dérmicas especializadas.

Estos cosméticos también suelen contener niacinamida, que es una forma de la vitamina B3. La niacinamida ayuda a elevar el contenido de agua en la piel. En un estudio en Japón con pacientes con dermatitis atópica se utilizó una crema con un 2 % de niacinamida, y los resultados, publicados en el *International Journal of Dermatology*, demostraron que la crema era más efectiva que el petrolatum, el mismo ingrediente de la vaselina, en elevar los niveles de hidratación en la piel reseca del paciente. Mejora el tono y la textura de la piel, reduce hiperpigmentaciones, tiene propiedades antiinflamatorias y antioxidantes.

Efectos adversos de la quimioterapia y sus paliativos cosméticos

¿Cuáles son los efectos adversos habituales de la quimioterapia y de las terapias dirigidas, y cómo la cosmética puede ayudar a aliviarlos?

Los efectos adversos de la quimioterapia y de las terapias dirigidas son la xerosis (sequedad cutánea), prurito, erupción folicular papulopustulosa (erupción cutánea), fotosensibilidad, alopecia y toxicidad en uñas. Estos efectos adversos dependen del tipo de tratamiento, ya que hay diferentes quimioterapias y terapias dirigidas.

Para el cuidado dermocosmético hay que mantener la higiene diaria con duchas cortas (nunca baños) con agua tibia, y jamás emplear jabones, que pueden resultar demasiado abrasivos, sino lo que comercialmente se denomina jabón *syndet*, que es un limpiador sin jabón de pH similar al de la piel (en torno a 5). La palabra *syndet* procede de la contracción de *synthetic detergent*. Técnicamente es la unión de distintos detergentes, llamados también tensoactivos o surfactantes. Estos detergentes tienen afinidad por las grasas y repelen el agua. Gracias a ello forman unas pequeñas estructuras que rodean la suciedad, que es eliminada por el agua.

Los detergentes usados en estos geles y pastillas son los llamados aniónicos suaves, con los que se obtienen productos de alta calidad. El más usado es el *sodium laureth sulfate*. Los surfactantes aniónicos son potencialmente irritantes; por ello en las formulaciones se combinan con otros que presentan mayor dermocompatibilidad, como el *disodium cocoamphodiacetate*, que es un agente tensioactivo anfótero suave. Los *syndets* contienen también emulgentes, humectantes y conservantes en las proporciones adecuadas.

Las lesiones cutáneas como las queratosis, las erupciones y las xerosis se acentúan por acción de la radiación solar, además de que la fotosensibilidad es otra de las consecuencias típicas de la quimioterapia; por eso es muy importante utilizar una crema con protección solar incluso en condiciones normales de luminosidad. En estos casos no podemos utilizar un protector solar común como el que podríamos llevar a la playa, principalmente porque el efecto desecante habitual sería muy perjudicial y la duración de la protección podría ser insuficiente. Lo ideal es utilizar una crema hidratante con protección solar alta, preferiblemente con filtro físico (como el dióxido de titanio que absorbe los UVA) y filtro químico (como el 2-ethylhexyl salicylate, que absorbe los UVB), para que la protección dure todo el día con una aplicación. Estas cremas son específicas para pieles afectadas por queratosis actínica y muy fotosensibilizadas, por lo que suelen contener algún emoliente hipoalergénico, como el *glycine soja oil*, que, además de ablandar las durezas y reducir la inflamación, es antioxidante, o el C12-15 *alkyl benzoate*, que además de emoliente es un disolvente muy eficaz para filtros solares.

Para las erupciones cutáneas corporales habría que utilizar una crema altamente hidratante y antidesecamiento, que contenga entre otros ingredientes manteca de karité y niacinamida. Es fundamental identificar las erupciones cutáneas como efecto adverso del tratamiento oncológico, porque el aspecto y las zonas en las que aparecen pueden asemejarse al acné. Aplicar en las zonas afectadas una crema para el acné sería totalmente contraproducente e intensificaría el problema.

El efecto adverso más reconocible de los pacientes oncológicos es la alopecia inducida por quimioterapia. Esta alopecia es casi siempre reversible y empieza a recuperarse al mes de suspender el tratamiento. Ocasionalmente, el nuevo pelo presenta características diferentes al original, pero lo esperable es que con el tiempo recupere el mismo aspecto. Actualmente no existen métodos que hayan demostrado poder prevenir la caída de pelo inducida por quimioterapia con evidencia suficiente para su recomendación.

Otro de los efectos adversos comunes de la quimioterapia es la toxicidad en las uñas. Aparecen fragilidad, estrías y aumento de rugosidad, lo que puede derivar en inflamación dolorosa del tejido alrededor de la uña. Para prevenir y paliar este efecto adverso es recomendable utilizar tratamientos fortificantes y protectores, especialmente lacas de uñas enriquecidas con silicio, y de alta tolerancia, que no contengan tolueno, formol o colofán. La retirada del esmalte debe hacerse también con quitaesmaltes hipoalergénicos libres de acetona. Como la toxicidad puede repercutir en el color de las uñas, existen este tipo de lacas en múltiples colores.

Lo que de verdad ocurrió con las cremas cancerígenas

Lo que ocurrió realmente con las cremas de supermercado es que estos cosméticos sí llegaron a comercializarse. La razón es que cumplían con todos los requisitos establecidos en el reglamento y, por tanto, pasaron los controles sanitarios de la AEMPS. Los productos fueron retirados del mercado, pero no porque la AEMPS lo ordenase. Los laboratorios que los fabricaban fueron los que se percataron de la posible incompatibilidad entre dos ingredientes que, en determinadas condiciones, podrían llegar a formar las temidas nitrosaminas. Las condiciones para que esto sucediese eran muy improbables, porque requerían altas temperaturas. Los consumidores no solemos calentar las cremas hidratantes, así que el riesgo era mínimo. Aun así y, por iniciativa propia, los fabricantes decidieron reformular estas cremas para adaptarse a la legislación, que actualmente ya considera esa incompatibilidad.

Cada vez que un laboratorio decide reformular un producto y retirar del mercado el producto antiguo ha de notificarlo a la AEMPS y ha de volver a pasar los controles como si se tratase de un producto nuevo. Como sabemos, la AEMPS se encarga de notificar públicamente estos cambios. Esta agencia aseguró en una nota informativa pública que los productos retirados nunca entrañaron riesgo para la salud y que no se detectaron nitrosaminas en su composición.

Conclusión

Estas cremas nunca llegaron a implicar riesgos. La actuación de la cadena de supermercados de reformularlos por iniciativa propia fue ejemplar, pero por culpa de aquello siguen suscitando dudas en los consumidores y siguen proliferando rumores al respecto en las redes sociales.

A veces solo hace falta un poco de sentido común para desmentir esta clase de mitos. ¿Qué interés podría tener un laboratorio cosmético en incluir un compuesto dañino en sus productos? ¿Que no lo volvamos a comprar? ¿Hundir la imagen de su propio negocio? ¿Hacer daño porque sí, como un villano de las películas? No tiene sentido, se mire por donde se mire.

Volverán a compartirse informaciones de este tipo sobre aquella crema o sobre cualquier otra. A veces ni siquiera hace falta ir al meollo del asunto, ya que las autoridades competentes son las que se encargan de proteger a los consumidores en el caso de que algo falle. Las alertas no llegan por medio de mensajes catastrofistas en cadena en las redes sociales, sino por canales oficiales. Es así de simple.

PRINCIPALES FUENTES CONSULTADAS

AEMPS, *Garantías sanitarias de los productos cosméticos*, nota informativa, Agencia Española de Medicamentos y Productos Sanitarios, 11 de febrero de 2016.

—, *Información relativa a productos de las marcas Deliplus y Solcare*, nota informativa, Agencia Española de Medicamentos y Productos Sanitarios, 16 de agosto de 2012.

Bissett, D. L.; Oblong, J. E.; Berge, C. A., «Niacinamide: A B Vitamin That Improves Aging Facial Skin Appearance», en *Dermatologic Surgery*, julio de 2005, 31(7), págs. 860-865.

Hakozaki, T.; *et al.* «The Effect of Niacinamide on Reducing Cutaneous Pigmentation and Suppression of Melanosome Transfer», en *The British Journal of Dermatology*, julio de 2002, 147(1), págs. 20-31.

Jaén Olasolo, P.; Truchuelo Díez, M. T.; Sanmartín Jiménez, O.; Soto de Delás, J., *El cáncer y la piel: guía de cuidados dermatológicos del paciente oncológico*, s. l., AECC y GEDET, 2012.

Ministerio de Sanidad y Consumo, Real Decreto 1599/1997, de 17 de octubre, sobre productos cosméticos, en *BOE*, 261, 31 de octubre de 1997, págs. 31.486-31.513.

Ministerio de Sanidad, Servicios Sociales e Igualdad, Orden SSI/2375/2014, de 11 de diciembre, por la que se modifica la Orden SPI/2136/2011, de 19 de julio, por la que se fijan las modalidades de control sanitario en frontera por la inspección farmacéutica y se regula el Sistema Informático de Inspección Farmacéutica de Sanidad Exterior, en *BOE*, 306, 19 de diciembre de 2014, págs. 103.155-103.204.

Ministerio de Sanidad, Servicios Sociales e Igualdad, Real Decreto 1/2015, de 24 de julio, por el que se aprueba el texto refundido de la Ley de garantías y uso racional de los medicamentos, en *BOE*, 177, 25 de julio de 2015, págs. 62.935-63.030.

NIH, «Niacina y niacinamida (vitamina B3)», en MedlinePlus; febrero de 2011, <https://medlineplus.gov/spanish/druginfo/natural/924.html>.

Rademaker, M.; y Fernández Peñas, P., «Skin Care in Oncology Patients», en *Research Review, Educational Series*, 2015, <www.asbd.org.au/docs/2015/Educational%20Series%20Skin%20Care%20in%20Oncology%20Patients.pdf>.

SCF, «The Skin Cancer Foundation's Guide to Sunscreens», Skin Cancer Foundation, 15 de noviembre de 2011, <www.skincancer.org/prevention/sun-protection/sunscreen/the-skin-cancer-foundations-guide-to-sunscreens>.

SESKIMO Group, *Skin-care and Cosmetics Products in the Daily Prevention, Treatment and Supportive Care of Cutaneous Toxicity in Oncology Patients*, s.l., L'Oréal, 2015.

Unión Europea, Reglamento (CE) n.º 1223/2009 del Parlamento Europeo y del Consejo de 30 de noviembre de 2009, sobre los productos cosméticos, en *Diario Oficial de la Unión Europea*, 342, 22 de diciembre de 2009, págs. 59-209.

Wohlrab J.; *et al.*, «Barrier Protective Use of Skin Care to Prevent Chemotherapy-induced Cutaneous Symptoms and to Maintain Quality of Life in Patients with Breast Cáncer», en *Dove Med Press,* agosto de 2014, 2014(6), págs. 115-122.

11. Las cremas solares, mejor sin filtros químicos
Mitos de la cosmética

Cuando era adolescente, que llegase el verano significaba que había que ponerse moreno. A mí me costaba bastante mantener el equilibro entre broncearme y quemarme. De hecho, era raro el verano en que no me quemaba. Por aquel entonces utilizaba crema con factor de protección 30. Me la ponía antes de salir de casa y normalmente no me la volvía a aplicar. Mi madre me reñía por hacer eso, pero yo estaba convencida de que, si me aplicaba una protección tan alta —yo pensaba que era muy alta—, no me pondría morena jamás. Y estar morena era estar más guapa. Favorece. Eso es así de toda la vida. ¿O no?

Ponerse moreno fue una moda reciente

Resulta que, hasta hace poco, estar moreno no se consideraba favorecedor. Antiguamente, el tener una piel blanquecina era un símbolo de distinción entre las clases altas, la aristocracia y las familias reales. La expresión *sangre azul* para referirse a las clases altas tiene relación con esto, ya que la piel pálida deja entrever el azul de las venas.

Por el contrario, las clases bajas solían tener la piel tostada la mayor parte del año debido a que la mayoría de ellos realizaban su trabajo a la intemperie. Por este motivo, la piel morena significaba pertenecer a la clase obrera, y la piel blanca era algo así como la piel de alta alcurnia.

103

Llegó un momento en el que, casi de la noche a la mañana, se decidió que el estar pálido y tener una piel blanquecina ya no resultaba atractivo, poniéndose de moda entre los círculos más exclusivos la piel bronceada. Esto sucedió en los años veinte. Coco Chanel y Josephine Baker fueron las precursoras de la moda del bronceado.

Coco Chanel, tras regresar a París de unos días de vacaciones en un crucero por el Mediterráneo a bordo del yate del duque de Westminster, llegó con la piel tostada por el sol. En aquellos momentos, Coco era una de las personas que marcaban tendencia, y absolutamente todo lo que hacía, diseñaba o decía se ponía de moda entre la población. Esto hizo que el bronceado que lucía Coco Chanel fuera imitado por la legión de seguidoras que tenía.

Hacia mediados de la década de los veinte, también se atribuye la moda de tomar el sol y tostar la piel a la cantante y actriz Josephine Baker. La artista, conocida como «la mujer de la piel de caramelo», hizo que muchísimas mujeres de todo el mundo tratasen de emular su tono natural de piel bronceándoselo.

El vertiginoso auge de la moda de tostar la piel y ponerla morena hizo que en 1927 el diseñador y perfumista francés Jean Patou lanzase al mercado la primera loción bronceadora: Huile de Chaldée. Ya ni siquiera haría falta esperar al sol del verano para estar favorecidos y a la moda.

En la actualidad, estar bronceado o estar pálido no se corresponde con ningún estatus social. Ni siquiera podemos decir que esa moda iniciada por Coco Chanel haya perdurado hasta nuestros días. Solo hace falta echarles un ojo a las principales revistas de moda. Estar bronceado no es tendencia. De hecho, los personajes de moda lucen orgullosos sus pieles blancas, cuanto más parecidas a la porcelana, mejor. Y los que de forma natural son más morenos lucen orgullosos su piel. La tendencia es respetar el color natural que nos ha tocado. Una tendencia que nace del cuidado de nuestra salud y que se termina convirtiendo en un nuevo canon estético. Aquellos años en los que ponerse moreno era ir a la moda ya pasaron. Ponerse excesivamente moreno es, hoy en día, una horterada.

Qué poco nos gusta la química

Desgraciadamente, la palabra *química* sigue asociándose a cosas negativas. Tanto es así que hasta un tipo de filtros solares denominados filtros químicos están empezando a ser los protagonistas de las etiquetas de los fotoprotectores. Cada verano, con las nuevas campañas publicitarias y las nuevas gamas de productos, se cuela alguno nuevo cuya etiqueta lleva el eslogan: «Sin filtros químicos».

Cada vez que un producto, tanto cosmético como de alimentación, presume de no llevar algo, de ser un producto «sin», automáticamente tendemos a pensar que eso supone una mejora. Y vamos más allá. Tendemos a pensar que eso que le han quitado es una sustancia perjudicial. Y más allá aún. Que si han decidido explicitarlo en la etiqueta es porque hay otros productos que sí llevan esa sustancia y que, por tanto, hay productos en el mercado que contienen sustancias peligrosas.

Lo *químico* se lleva la palma de las críticas. Se asume que *químico* es algo así como un sinónimo de *tóxico*.

¿Son tóxicos los filtros químicos? ¿Son mejores los físicos? Para responder a esta pregunta es necesario conocer de qué radiación solar debemos protegernos, por qué, y cómo funcionan los filtros solares.

Qué radiación nos llega del Sol

La radiación solar que llega a la Tierra se divide en tres tipos: la de mayor energía es la radiación ultravioleta (UV), a continuación está la radiación visible (la única que podemos observar como color) y la de menor energía es la radiación infrarroja (IR), que es la responsable del calor. La energía que llega al nivel del mar es aproximadamente un 49 % radiación infrarroja, un 42 % luz visible y un 9 % radiación ultravioleta.

La radiación ultravioleta emitida por el Sol se puede dividir en UV-A, UV-B y UV-C, de menor a mayor energía, pero como la atmósfera terrestre absorbe gran parte de esta radiación, el 99 % de los rayos ultravioletas que llegan a la superficie de la Tierra son del tipo

UV-A y el 1 % son UV-B. Este hecho nos libra de la radiación ultravioleta más peligrosa para la salud, la UV-C. La radiación UV-C no llega a la Tierra porque es absorbida al 100 % por el oxígeno y el ozono de la atmósfera, y por lo tanto no produce daño. La radiación UV-B es parcialmente absorbida por el ozono y un 5 % llega a la superficie de la Tierra, produciendo daño en la piel, cosa que se ha visto agravada por el llamado agujero de la capa de ozono.

Solo las nubes tipo cúmulos de gran desarrollo vertical atenúan la radiación peligrosa prácticamente a cero. El resto de las formaciones, tales como cirros, estratos y cúmulos de poco desarrollo vertical, no las atenúan, por lo que es importante la protección aun en días nublados. El vidrio de una ventana puede llegar a frenar el 96,5 % de las radiaciones UV-B y solo el 15 % de las UV-A. Un proceso similar ocurre con la luna de los coches, donde el 90,2 % de los UV-B son frenados frente al 30 % de los UV-A.

Cómo afecta la radiación solar a nuestra piel

Dependiendo de la energía de la radiación solar, esta puede interactuar con la materia de diferente manera, produciendo distintos efectos sobre las moléculas y los átomos que forman nuestra piel.

La radiación solar más energética, la ultravioleta, es capaz de ionizar átomos (de arrancarles electrones), de excitar electrones (de que los electrones pasen a niveles energéticos superiores a su estado fundamental) y de romper moléculas en unidades más pequeñas formando los temidos radicales libres. La radiación infrarroja o la energía térmica reemitida por la Tierra es de baja energía, y solo es capaz de hacer vibrar y rotar las moléculas, con lo que solo contribuye a aumentar la temperatura.

Los rayos UV-A penetran hasta la dermis. Son capaces de deteriorar la elastina y el colágeno de la piel, proteínas responsables de la textura, elasticidad y firmeza, acelerando el proceso de envejecimiento cutáneo. La radiación UV-A actúa oxidando la melanina, la sustancia responsable del color de la piel, lo que provoca un bronceado directo que se caracteriza por desaparecer rápidamente.

Los rayos UV-B, más energéticos, penetran poco en la piel, pero son los que provocan las quemaduras, el eritema, el enrojecimiento y aumentan el riesgo de cáncer, por lo que son los más peligrosos. Las radiaciones UV-B operan sobre las células productoras de melanina, consiguiendo que se active la producción de melanina. Son responsables del mantenimiento del color bronceado de la piel a largo plazo. Es decir, la radiación UV-A oxida la melanina y la UV-B hace que se produzca más melanina. Ambas cosas suceden en los melanocitos de la piel.

Tanto los UV-A como los UV-B son lo suficientemente energéticos como para romper los enlaces de las moléculas y generar fragmentos muy reactivos llamados radicales libres. Estos radicales son tan reactivos que consiguen alterar las moléculas de ADN. Esto se traduce en que la radiación UV es mutagénica, modifica el ADN, y por tanto es potencialmente cancerígena.

Otros problemas cutáneos, como la rosácea, algunos tipos de dermatitis y el acné, se agravan a causa de la exposición a la radiación ultravioleta. Por este motivo es importantísimo protegerse de la radiación ultravioleta, tanto la UV-A como la UV-B.

Cómo nos protegemos de la radiación solar

Determinadas vitaminas, como la vitamina C (ácido ascórbico), la vitamina A (retinol), los betacarotenos (antioxidante precursor de la vitamina A), la vitamina E (gamma tocoferol), que son potentes antioxidantes, son capaces de neutralizar los radicales libres formados por la radiación ultravioleta, y por ello suelen añadirse a las cremas solares como acetatos o palmitatos. También los incorporamos al organismo a través de la dieta.

Los protectores solares o fotoprotectores son todos aquellos productos (cremas, leches, aceites, geles) que se aplican sobre la piel con el fin de protegerla de los efectos perjudiciales de las radiaciones UV-A y UV-B. Para ello contienen unas sustancias denominadas filtros que son capaces de frenar la acción de estos rayos solares.

¿Qué factor de protección solar utilizo?

El grado de protección frente a la radiación solar viene determinado por el SPF (factor de protección solar) y siempre figura en el envase del producto. El SPF indica el número de veces que el fotoprotector aumenta la capacidad de defensa natural de la piel frente al eritema o enrojecimiento. Por ejemplo, un SPF de 30 implica que el tiempo que tardaría tu piel en sufrir una lesión sin protección se multiplicaría por treinta, prolongando el tiempo de exposición sin daños treinta veces. En función de su factor de protección SPF, los protectores solares se clasifican en: bajo (de 2 a 6), medio (de 8 a 12), alto (de 15 a 25) y muy alto (de 30 a 50+).

Debemos cuidarnos de la exposición solar y utilizar un SPF acorde con nuestro fototipo de piel. Un fototipo de piel tipo I se corresponde con personas muy blancas, de ojos claros y pelo claro, que no se broncean, sino que se enrojecen al sol. Suelen tener pecas. Necesitan utilizar el SPF 50+, el mayor de todos, y evitar la exposición al sol directa. El SPF 50+ es el factor de protección más alto que existe; se corresponde con el antiguamente llamado factor 100 o pantalla total. Un fototipo II es el de personas de piel clara, ojos y pelo claros, pero que sí se broncean al sol. Un fototipo III, el más habitual, se corresponde con personas que sí se broncean, con el pelo y los ojos oscuros. Para ellos suele ser suficiente un SPF 30. Y así sucesivamente, hasta el fototipo V, que serían las personas de color con la tez más oscura.

Cómo funcionan los filtros físicos

Los filtros físicos —también llamados filtros minerales— más habituales son los óxidos de titanio y de zinc. Estos compuestos son fluorescentes.

La fluorescencia es un fenómeno por el cual la radiación ultravioleta es absorbida y reemitida como radiación de menor energía. En este caso, la radiación reemitida cae dentro del espectro visible, por lo que estos filtros transforman una radiación peligrosa en una radiación inocua. Este es el motivo por el que estos compuestos son de un intenso color blanco, y por ello son los responsables de que algunas cremas solares de baja gama dejen un antiestético rastro blanco en la piel. Otros filtros físicos de uso habitual son la mica, el caolín y el talco, que simplemente reflejan toda la radiación, como un espejo. También son de un color blanco poco cosmético.

Estos filtros son de amplio espectro: no solo retienen las radiaciones solares ultravioletas, sino también las del espectro visible e incluso las del infrarrojo. Por este motivo se los denomina pantalla, y se utilizan para evitar tanto el eritema como el bronceado. Una innovación en su desarrollo en las cremas solares de mayor calidad reside en el empleo de pigmentos micronizados, es decir, con un tamaño de partícula entre diez y cincuenta nanómetros, formulados en una base adecuada, que los hace invisibles, así que no dejan rastro blanco en la piel. Aparecen en la lista de ingredientes del producto seguidos de la palabra *nano*.

Como estos filtros no son capaces de penetrar en la piel, sino que se quedan en la superficie, son los que suelen contener las cremas solares específicas para pieles sensibles, sensibilizadas por dermatitis, eritemas y alergias.

Cómo funcionan los filtros químicos

Los filtros químicos —también llamados filtros orgánicos— son moléculas orgánicas, basadas en el carbono, denominadas grupos cromóforos.

Los filtros orgánicos actúan por absorción de la radiación solar ultravioleta. Captan la energía incidente y la reemiten nuevamente como radiación térmica, inocua para la piel. En función de la radiación absorbida se distingue entre los filtros UV-B, UV-A y de amplio espectro. Todos ellos requieren del orden de treinta minutos para ejercer esta acción, por lo que deben aplicarse con la debida antelación antes de la exposición solar. No suelen presentar problemas de formulación, por lo que son los más utilizados.

Algunos de ellos pueden degradarse por acción de la luz y terminar absorbiéndose por la piel, por lo que existe riesgo de intolerancia. Normalmente estos filtros van asociados a otras sustancias llamadas fotoestabilizadores, que evitan que esto ocurra. El fotoestabilizador más común es el octocrileno, e impide que el filtro químico se degrade y llegue a penetrar en la piel, evitando así posibles intolerancias.

También existen filtros químicos que son estables a la luz por sí mismos, no penetran en la piel y que, precisamente, se utilizan para formular productos destinados para pieles sensibles e incluso para niños. Así que es un mito eso de que los productos solares específicos para pieles sensibles solo lleven filtros físicos, ya que también pueden y deben llevar filtros químicos.

Un ejemplo de estos filtros químicos son los que comercialmente se denominan Mexoryl: el Mexoryl SX *(terephthalylidene dicamphor sulfonic acid)* actúa como filtro UV-A y es fotoestable, y el Mexoryl XL *(drometrizole trisiloxane)* es un filtro de amplio espectro, es efectivo frente a radiación UV-A y UV-B, es fotoestable y no penetra en la piel. El Mexoryl, además de ser un filtro químico apto para pieles sensibles, con intolerancias y alergias, es el filtro idóneo para las fórmulas específicas para niños.

Conclusión

La diferencia entre unos filtros y otros nos la dará la especificidad del producto: si es para niños, pieles sensibles, etc., y eso es lo único en lo que debemos fijarnos a la hora de escoger un producto u otro.

Todos los productos cosméticos del mercado son seguros, han probado su eficacia y han superado rigurosos controles de calidad. Solo hay que acertar con el que mejor se adapta a nuestro tipo de piel y a la circunstancia en la que vayamos a usarlo. Ante la duda, lo mejor es dejarse aconsejar por un experto, en este caso por nuestro farmacéutico o nuestro dermatólogo.

La elección de un producto solar se hará en función de la edad, del sexo, del tipo de piel (si es más o menos clara, seca, mixta o grasa), la cantidad de lunares y otras condiciones específicas, como problemas cutáneos, si se está consumiendo medicamentos, si se está embarazada, y también dependiendo del uso que se vaya a hacer de la protección: si vamos a hacer deporte, si vamos a la playa, si es para uso corriente, etc. Todas estas variables son las que cualquier experto valorará antes de recomendar un producto u otro.

También debemos tener en cuenta que eso de que solo hay que protegerse del sol los días soleados o cuando vamos a la playa es falso: hay que protegerse del sol a diario. En la actualidad contamos con productos adecuados para cualquier circunstancia: desde hidratantes de uso diario con protección solar a maquillajes con protección y cremas solares específicas: resistentes al agua, al sudor, que no dejan rastro sobre la piel, matificantes, con tratamientos específicos para la rosácea, etcétera.

El resumen es simple: todos los filtros solares, ya sean físicos o químicos, son totalmente seguros y eficaces. Lo inteligente es dejarse asesorar por un experto para comprar el producto que mejor se adapte a nuestra piel y a nuestras circunstancias.

¡Cuántas tonterías hice de adolescente para broncearme! Utilizaba menos factor de protección del que necesitaba, no reponía el producto todo lo que debía y me quemaba casi todos los veranos. No puedo volver atrás y remediar el daño que ocasioné a mi piel, pero al menos le puse remedio pronto. Hoy en día utilizo productos cosméticos adaptados a mi tipo de piel y sigo las recomendaciones del fabricante. Jamás he vuelto a quemarme. Y me he reconciliado con mi color de piel. Estoy orgullosa de tener una piel blanca, que, gracias a la ciencia, está más bonita que nunca.

PRINCIPALES FUENTES CONSULTADAS

Battaner Arias, Enrique, *Biomoléculas: una introducción estructural a la bioquímica*, Salamanca, Universidad de Salamanca, 2013.
Consejo General de Colegios Oficiales de Farmacéuticos, *Informe técnico de protección solar*, 2002, <portalfarma.com>.
Deflandre, A.; Lang, G., «Photostability Assessment of Sunscreens. Benzylidene Camphor and Dibenzoylmethane Derivatives», en *International Journal of Cosmetic Science*, abril de 1988, 10(2), págs. 53-62.
Egbert, Charlet, *Cosmética para farmacéuticos*, Zaragoza, Acribia, 1996.

Fourtanier, A.; Labat-Robert, J.; Kern, P.; Berrebi, C.; Gracia, A. M.; Boyer, B., «In Vivo Evaluation of Photoprotection Against Chronic Ultraviolet–A Irradiation by a New Sunscreen Mexoryl SX», en *Photochem Photobiol*, abril de 1992, 55(4), págs. 549-560.

López, Alfred, ¿Cuándo y por qué se puso de moda tomar el sol para estar moreno?, en *20 Minutos*, 12 de agosto de 2013, <https://blogs.20minutos.es/yaestaellistoquetodolosabe/cuando-y-por-que-se-puso-de-moda-tomar-el-sol-para-estar-moreno/>.

Marín, D.; y Pozo, A. del, «Filtros solares: características, tipos y requerimientos», en *Offarm*, octubre de 2005, 24(9), pág. 175-178.

Martini, M. C.; y Seiller, M., *Actifs et additifs en cosmétologie*, París, Technique & Documentation, 1992.

Méndez Muñiz, Javier María; Cuervo García, Rafael; Bureau Veritas Formación, *Energía solar térmica*, Madrid, Fundación Confemetal, 2010.

Parra, J. L., y Pons L., *Ciencia cosmética: bases fisiológicas y criterios prácticos*, Madrid, Consejo General de COF, 1995.

Puig, L.; y Nadal, C., *Fotoprotección*, Barcelona, Permanyer, 1997.

Seite, S.; *et al.*, «Mexoryl SX: A Broad Absorption UVA Filter Protects Human Skin from the Effects of Repeated Suberythemal Doses of UVA», en *Journal of Photochemistry and Photobiology B*, 15 de junio de 1998, 44 (1), págs. 69-76.

Wilkinson, J. B.; y Moore, R. J., *Cosmetología de Harry*, Madrid, Díaz de Santos, 1990.

12. Hasta a la leche infantil le ponen aceite de palma
Mitos del medioambiente
Mitos de la salud

Llego al supermercado y, de un día para otro, me encuentro todo un estante de productos «sin aceite de palma». Productos que tradicionalmente llevaban este ingrediente, como las galletas o las tostadas, han cambiado su composición. Han pasado varias semanas desde que, en la cola del supermercado de ese mismo establecimiento, se produjese un debate sobre qué productos contenían aquel malvado ingrediente. Que si causaba tal o cual enfermedad, que si la industria alimentaria nos está envenenando, que si antes se comía más seguro que ahora. ¡Hasta las leches infantiles lo llevan! Toda la retahíla de dudas que se acrecientan cada vez que un nuevo villano de la alimentación salta a la palestra.

En la vida virtual pasaba tres cuartos de lo mismo. Hasta se recogieron firmas para que la industria alimentaria dejase de utilizar el temido aceite de palma. Se publicaron noticias y reportajes alarmistas en un gran número de medios. El aceite de palma fue el veneno de moda de 2017 y los consumidores se pusieron en pie de guerra, reclamando productos «sin aceite de palma». Todo un despropósito, pero con los buenos y los malos equivocados.

Por qué se habla tanto del aceite de palma

La Agencia Europea de Seguridad Alimentaria (EFSA) publicó a principios de 2017 una alerta relacionada con el aceite de palma. No

113

fue con referencia a las características nutricionales del aceite de palma, sino a los contaminantes generados en el proceso de refinamiento (3-MPD, glicidol y sus ésteres). En esa alerta se revisaron los límites máximos permitidos de estos compuestos.

Valiéndose de esta nueva información, varios medios de comunicación aprovecharon para divulgar las implicaciones sanitarias del consumo del aceite de palma. La atención quedó, por tanto, desviada hacia un nuevo enemigo oculto en alimentación, desbancando al enemigo más mediático de las últimas fechas: el azúcar.

En 2017, el aceite de palma ocupó un gran número de titulares en los medios de comunicación, a la altura de acontecimientos de enorme relevancia política y social.

Diferentes fabricantes y distribuidores de la industria de la alimentación optaron por eliminarlo de sus productos, generalmente alegando motivos de salud. Lo cierto es que el aceite de palma está presente en multitud de alimentos, incluso lo encontramos en las leches infantiles.

Pero las primeras noticias que hicieron que el aceite de palma ocupase las portadas de los medios de comunicación no son tan recientes, sino que ya habían empezado mucho antes, en los años noventa. El motivo, por aquel entonces, no era sanitario. En 2017, tampoco, aunque nos hiciesen creer que sí.

Qué es el aceite de palma

El aceite de palma se extrae del fruto de la especie *Elaeis guineensis*, conocida como palma africana o aceitera, que, con origen en el continente africano, se introdujo de forma masiva en el suroeste asiático a principios del siglo xx. Es un aceite vegetal, como también lo son el aceite de girasol, de oliva o de soja.

La diferente calidad nutricional entre unos aceites y otros estriba en su perfil lipídico, es decir, en los ácidos grasos que los componen. Generalmente se hace la distinción en función de su contenido en ácidos grasos saturados e insaturados.

114

¿El aceite de palma es malo para la salud?

Consideramos saludables los ácidos grasos insaturados, mientras que la mayoría de ácidos grasos saturados están relacionados con ciertas enfermedades metabólicas. Los principales organismos oficiales en temas de salud, como la EFSA y la OMS, recomiendan reducir al mínimo la ingesta de ácidos grasos saturados por su implicación en el aumento del colesterol LDL (el malo) y en el aumento del riesgo de padecer cardiopatías.

Los ácidos grasos saturados más comunes en alimentación son el ácido palmítico, el mirístico, el láurico y el esteárico. Todos tienen diferentes propiedades y características con efectos distintos sobre la salud. Por ejemplo, el ácido esteárico tiene un efecto menor sobre los lípidos y las lipoproteínas plasmáticas (molécula de proteína unida con un lípido cuya función es el transporte de lípidos a los tejidos del organismo), sobre todo en contraste con el resto de grasas saturadas. Esto explica que el consumo de chocolates con alto contenido en manteca de cacao, rica en este ácido, no influya tanto en el colesterol plasmático. En cambio, el ácido palmítico sí incrementa los niveles de colesterol total y de LDL.

Encontramos ácido palmítico en diferentes aceites vegetales y grasas animales. Está presente en el aceite de oliva (14 %), en el aceite de soja (10 %) y, obviamente, en el aceite de palma (50 %).

¿Por qué hay alimentos que contienen aceite de palma?

Hay dos motivos principales por los que se utiliza aceite de palma en alimentación:

- Motivos tecnológicos: resulta interesante su textura, su fácil conservación y su punto de fusión. Es una grasa que se puede mantener sólida a temperatura ambiente, resulta untuosa y se derrite en la boca. También se emplea como estabilizante. Se utiliza en panes de molde, galletas o bollería industrial porque mantiene el producto fresco durante más tiempo.
- Motivos económicos: el aceite de palma es una grasa barata.

Aunque el aceite de palma forma parte de la lista de ingredientes de multitud de alimentos, lo encontramos mayoritariamente en los alimentos ultraprocesados. Un alimento ultraprocesado es, según la clasificación NOVA que categoriza los alimentos en función del procesamiento que han recibido, aquel que se elabora a partir de ingredientes procesados y no contiene ingredientes frescos o que puedan identificarse en su presentación final. Son ultraprocesados la mayoría de las galletas, la bollería, los cereales de desayuno, los *snacks* dulces y salados, los embutidos como las salchichas o la mortadela, los *nuggets* de pollo, de pescado o similares, y muchos precocinados. Hay que tener en cuenta que no todos los alimentos procesados son nocivos, sino que en algunos casos son una buena alternativa para tener en cuenta: verduras congeladas, ensaladas de bolsa, legumbres procesadas y derivados lácteos como los yogures.

Los alimentos ultraprocesados los encontramos en la cima de la pirámide nutricional. Esto quiere decir que no son beneficiosos para la salud y que, por tanto, su consumo ha de ser ocasional, por placer, nunca por un criterio de salud.

Es un error creer que eliminando el ácido palmítico de un alimento ultraprocesado este va a convertirse en un alimento saludable. Los alimentos ultraprocesados suelen incluir altas dosis de azúcares, de harinas refinadas, de sal y de grasas de mala calidad, por lo que siempre van a ser una pésima elección. Cambiar el ácido palmítico por otro ácido graso de propiedades tecnológicas similares, como puede ser el ácido esteárico, no es una medida que apele a la salud nutricional del producto, sino a un populista lavado de imagen apoyado por toda esta vorágine mediática.

¿Qué pinta el aceite de palma en las leches infantiles?

El aceite de palma lo encontramos mayoritariamente en alimentos de consumo ocasional como los ultraprocesados. Entonces, ¿por qué lo lleva la leche infantil?

La razón es sencilla: las leches infantiles de fórmula han de parecerse lo máximo posible a la leche materna, y la leche materna ya contiene, de serie, ácido palmítico.

La grasa constituye la mitad del contenido energético de la leche materna y de las fórmulas infantiles. Esta grasa está en forma de triglicéridos, de los que forman parte tanto los ácidos grasos saturados como los insaturados.

El ácido palmítico es el ácido graso más abundante en el organismo, y tiene distintas funciones además de la producción de energía, entre otras la capacidad de unirse a determinadas proteínas necesarias para algunas funciones del sistema nervioso y respiratorio.

La leche materna es el alimento ideal en el lactante y el modelo sobre el que se desarrollan sus sustitutos. De todos los ácidos grasos saturados de la leche materna, el ácido palmítico es el mayoritario.

Existen dos formas de ácido palmítico, la alfa y la beta, llamadas alfa-palmitato y beta-palmitato, respectivamente. La leche materna contiene ambas formas, siendo la beta la mayoritaria. Estas dos formas se comportan de forma ligeramente diferente en el organismo.

El ácido palmítico que se extrae del aceite de palma tiene la forma alfa, y esa forma impide que se absorban correctamente algunos nutrientes, como grasas y calcio. Por este motivo, las heces de los bebés que se alimentan con leche de fórmula son habitualmente más duras que las de los bebés que se alimentan con leche materna.

Actualmente ya existen fórmulas infantiles que contienen la forma beta del ácido palmítico, en una proporción análoga a la leche materna. Por esta razón, la presencia de aceite de palma en las leches infantiles no ha de ser un motivo de preocupación.

¿Cómo sé si un alimento lleva aceite de palma?

En diciembre de 2011 se publicó el Reglamento Europeo 1169/2011 sobre la información alimentaria facilitada al consumidor, en el que se especifica que «los aceites refinados de origen vegetal, [si bien] podrán agruparse en la lista de ingredientes con la designación *aceites vegetales*, [deberán ir] seguidos inmediatamente de una lista de indicaciones del origen específico vegetal...».

En la práctica, este reglamento se hizo efectivo en 2014, con lo que todos los alimentos que incluyan aceite vegetal entre sus ingredientes deben especificar cuál de estos aceites vegetales utilizan: de oliva, de girasol, de palma, etc. Con anterioridad, la denominación aceite vegetal servía para enmascarar los aceites empleados, normalmente cuando estos desdeñan la calidad del producto, como ocurre con el aceite de palma.

Algunos fabricantes se empeñan en disfrazar el aceite de palma entre sus ingredientes a través de otras denominaciones permitidas para la misma sustancia: aceite de palmiste, grasa vegetal fraccionada e hidrogenada de palmiste, estearina de palma, palmoleína u oleína de palma, manteca de palma, o haciendo uso del nombre científico de la especie: *Elaeis guineensis*.

El problema con el aceite de palma es medioambiental

Los principales países productores de aceite de palma destinaron una parte importante de sus terrenos a plantaciones intensivas de palma, lo que produjo un grave impacto medioambiental, afectando a la biodiversidad y a la huella de carbono.

Los principales productores mundiales de aceite de palma son Indonesia y Malasia. Curiosamente, la palma es una especie foránea que proviene de África occidental, así que para su plantación se requiere la previa deforestación de los terrenos y la introducción de esta nueva especie. Como cabe esperar, este tipo de prácticas afectan gravemente a la supervivencia de los ecosistemas autóctonos.

El caso más clamoroso de deforestación e impacto medioambiental ha sucedido en la isla de Borneo. Se calcula que en 2022 se habrá destruido el 98 % de sus bosques, principalmente debido a la tala ilegal y los incendios forestales provocados con el fin de continuar y ampliar las plantaciones de palma. Esta deforestación indiscriminada ha afectado a la biodiversidad: los orangutanes nativos de esta isla, cuya población se ha reducido en un 91 % desde 1900, desaparecerán en un par de décadas. También afecta a las tribus indígenas, ya que la calidad del agua que consumen depende de la calidad de sus bosques.

Este método de producción masivo también afecta brutalmente a la huella de carbono desde tres frentes: deforestación, transporte de los subproductos de la palma y uso final, que, sorpresa, no es tanto como ingrediente alimentario, sino como combustible.

La mayor parte del aceite de palma no se come, se quema como combustible

A causa del bombardeo informativo sobre el aceite de palma y su uso en alimentación, podríamos llegar a pasar por alto su uso mayoritario: la producción de biocombustibles como el famoso biodiésel. Si el aceite de palma solo se utilizase como un ingrediente más de los alimentos ultraprocesados, el problema medioambiental sería secundario, cuando realmente es el problema fundamental del uso de este aceite.

Si a la cifra del biodiésel se suma la de la electricidad y el calor producidos con aceite de palma, la bioenergía copa los usos, con el 61 %, seguido de la alimentación, con el 34 %. El restante 5 % se lo reparten otros usos industriales y piensos para la alimentación de animales.

El biodiésel de aceite de palma se cuestiona continuamente; entre otros, hay informes presentados por la Comisión Europea, como el basado en el Global Biosphere Management Model (Globiom), en el que se expone que una vez aplicado el cambio indirecto del uso de tierras (ILUC, en inglés), emite mucho más dióxido de carbono (CO_2) que el diésel fósil.

El prefijo *bio-*, que comúnmente relacionamos con los productos medioambientalmente amigables, en este caso solo sirve para disfrazar de sostenible algo que no lo es en absoluto.

Conclusión

La mayor parte de las plantaciones de palma se utilizan para producir biocombustible, con la terrible repercusión que ello causa en el medioambiente. Cualquier información diferente a esta es una forma de desviar la atención de lo importante a lo anecdótico. Porque la presencia de aceite de palma en los alimentos y sus implicaciones en la salud son anecdóticas. El aceite de palma está, sobre todo, en alimentos ultraprocesados que, lleven o no aceite de palma, van a ser alimentos poco saludables. Las leches infantiles llevan ácido palmítico porque la leche materna también lo contiene de forma natural.

Toda esta polémica ha desvirtuado la verdadera preocupación que subyace al uso del aceite de palma, que es exclusivamente medioambiental. Se ha servido de la efectiva y efectista táctica de inventarse un enemigo en casa. Ha sido la farsa de moda de 2017.

PRINCIPALES FUENTES CONSULTADAS

AECSN, *3-MCPD, glicidol y sus ésteres*, nota informativa, Agencia Española de Consumo, Seguridad Alimentaria y Nutrición, 2017.

EFSA, *Scientific Opinion on Dietary Reference Values for Fats*, Parma, European Food Safety Authority, 2010.

García, Marián, «¿Por qué se añade aceite de palma a las leches infantiles?», en *20 Minutos*, 20 de febrero de 2017, <http://boticariagarcia.com/aceite-de-palma-leches-infantiles>.

Havlicekova, Zuzana; Jesenak, Milos; Banovcin, Peter; y Kuchta, Milan, «Beta-palmitate: A Natural Component of Human Milk in Supplemental Milk Formulas», en *Nutrition Journal*, 2016, <https://nutritionj.biomedcentral.com/articles/10.1186/s12937-016-0145-1>.

NASA, Earth Observatory, <https://earthobservatory.nasa.gov/IOTD/view.php?id=40139>.

OMS, *Alimentación sana*, nota descriptiva 394, septiembre de 2015, <www.who.int/mediacentre/factsheets/fs394/es/>.

Palou, Nacho, «Deforestación de la isla de Borneo», en «Microsiervos», 11 de enero de 2008, <http://www.microsiervos.com/archivo/ecologia/deforestacion-isla-borneo.html>.

Saa, Johnson K., «Claims Over Mount Sadong To Be Probed, Says Awg Tengah», en *Borneo Post*, 20 de noviembre de 2013, <www.theborneopost.com/2013/11/20/claims-over-mount-sadong-to-be-probed-says-awg-tengah/>.

Unión Europea, Reglamento (UE) 1169/2011 del Parlamento Europeo y del Consejo de 25 de octubre de 2011, en *Diario Oficial de la Unión Europea*, 304, 22 de noviembre de 2011, págs. 18-63.

13. Una infusión para el lumbago y otra para la impotencia
Mitos de la medicina

Llega el verano y con él proliferan las ferias y los mercadillos. En mi ciudad hay una feria que nunca me pierdo: la feria medieval. En ella hay multitud de actividades, como el teatro en el casco antiguo, la venta de productos artesanales: comestibles, decorativos, cosméticos, etc., y actuaciones en general que pretenden recrear el Medievo, o simplemente hacer reír o dar un espectáculo de magia. La verdad es que yo soy fan de estas fiestas, y en mi ciudad siempre son geniales.

Cada vez con más frecuencia en estas fiestas también se da cabida a la venta de productos llamados *naturales*, con multitud de propiedades terapéuticas, a cuál más singular y extravagante; desde inciensos que curan milagrosamente las migrañas hasta infusiones contra la impotencia, pasando por otras plantas cuyas propiedades son conocidas y asumidas por todos, como estimulantes, relajantes, diuréticos, etcétera.

¿Las hierbas curan algo?

En la mayoría de los casos, todos estos productos naturales no son solo ineficaces, sino también totalmente inocuos. Ninguna de estas «marcas naturales» tiene que testar sus productos, pasar unos controles de calidad, realizar algún tipo de ensayo clínico que certifique las propiedades que anuncia. En cambio, toda la industria cosmética y farmacéutica está volcada en investigar sobre productos que palíen todo tipo de afecciones, pasando rigurosos controles de calidad.

Podríamos ver el problema como un caso más de publicidad engañosa, la de «lo natural» elevado a la enésima potencia, la del Medievo, ni más ni menos, donde no se preocupaban ni por las sales de aluminio, ni por los parabenos, ni por los aditivos, ni por toda esta química endemoniada que lo invade todo (nótese la ironía). El problema se da cuando nos venden estos ungüentos milagrosos de hierbas mágicas, y estas hierbas mágicas no son inocuas, sino que tienen efectos sobre nuestro metabolismo, buenos o malos, pero no inocuos, y por tanto han de ser tratados como cualquier otro fármaco, no a la ligera; de la misma manera que un médico o un farmacéutico sabe qué medicamentos debemos tomar en cada caso, los que no podemos tomar, o las posibles interacciones de unos fármacos con otros. Por ello, cualquier hierba con propiedades farmacológicas ha de ser tratada como fármaco, y no debemos consumirla con ligereza porque tenga pinta de hierba o de ungüento de la abuela. Al fin y al cabo, gran parte de los medicamentos que adquirimos en las farmacias provienen de hierbajos, por mucho que tengan forma de pastilla.

Muchos de los medicamentos de uso común se extraen de las plantas o de los hongos, y no por ello los consumimos sin la supervisión de un médico o un farmacéutico. Cito unos ejemplos.

La famosa aspirina (ácido acetilsalicílico), que es anticoagulante, analgésica y antipirética, se extrae de la corteza del sauce. La penicilina, que es antibiótica, se extrae de un hongo. La teofilina se extrae del té, y es estimulante, diurética y broncodilatadora. La codeína, que es un analgésico, se extrae de la adormidera. La atropina, que es un famoso anticolinérgico, se extrae de la belladona. El anticancerígeno colquicina se extrae del cólquico. La diosgenina, un anticonceptivo femenino, se extrae del ñame silvestre. La quinina, un famoso antipalúdico, conocido por estar presente en la tónica, se extrae de la cinchona. Y podría seguir citando muchos más.

Hay que tener en cuenta que para extraer el principio activo de estas plantas suelen hacer falta ciertos procesos físicos o químicos (que es de lo que se encargan los laboratorios de las farmacéuticas), y por tanto, si consumiésemos estos vegetales sin procesar (como comprimidos, infusiones, etc.), podrían ser del todo ineficaces, puesto que para que algo sea efectivo en nuestro organismo ha de ser administrado en una matriz y en dosis adecuadas.

Este mismo problema es el que se nos presenta cuando adquirimos una planta medicinal, que evidentemente contiene el principio activo en cuestión (a no ser que sea un engañabobos de sanación divina, que es lo más habitual): no podemos asegurar que la forma de administración vaya a ser efectiva, o vaya a producir los mismos efectos que el principio activo aislado. Y esto es lo problemático, que no contamos con estudios clínicos para la mayor parte de estos «medicamentos naturales», por lo que la dosis o la influencia de la matriz en el efecto del principio activo son una incógnita; no hay nada que lo certifique.

¿Qué pasa si mezclo plantas con medicamentos?

Además, si consumimos sustancias farmacológicas, sean «naturales» o sean producidas por una farmacéutica, sin la supervisión de un especialista, correremos el riesgo de padecer interacciones indeseables. Cito algunos ejemplos:

- Diente de león: si se está tomando algún tipo de medicamento diurético, esta planta puede potenciar su actividad.
- Ginseng: puede aumentar la presión arterial, e incluso si se ingiere simultáneamente con el Coumadin (droga anticoagulante), puede ocasionar episodios de sangrado.
- Regaliz: puede subir la presión arterial, anula el efecto de las espironolactonas, y deben tener cuidado con esta planta las personas con problemas renales.
- Valeriana: no debe utilizarse al mismo tiempo que otro tipo de tranquilizantes, pues se puede producir un exceso de sedación.
- Castaño de Indias: puede reducir la eficacia de los antiácidos y los antiulcerosos.

- Alfalfa y harpagofito: pueden interferir en la terapia hipogluce-miante convencional.
- *Panax ginseng* y trébol rojo: contienen compuestos con activi-dad hormonal, por lo que podrían interferir en tratamientos hor-monales, incluyendo la terapia anticonceptiva, y también tienen efectos antagonistas sobre los depresores del sistema nervioso central.

El kalanchoe, la planta que puede matarte

El kalanchoe procede de Madagascar y crece con una forma parecida a la del aloe vera, con unas hojas en triángulo superpuestas unas en-cima de las otras en dirección ascendente, con picos pequeños y pun-tiagudos en los laterales. Cuando son pequeñas, cuentan con un color parduzco y crecen moteadas de vetas de color negro, como un tigre gris, del color del hollín. Se suele utilizar como decoración.

Marta —nombre ficticio— falleció de un cáncer de hígado hace dos años. Dos antes de su muerte, le habían diagnosticado un cáncer de vesícula; se lo extirparon y parecía que todo iba bien. Sin embar-go, volvió a aparecer. Se sometió a radioterapia y a quimioterapia, y no funcionó. No se podía hacer nada. Su familia se agarró a un clavo ardiendo, como suele suceder en estos casos. Indagando en internet, halló una web en la que se aseguraba que el kalanchoe curaba el cán-cer, y compró un paquete por treinta euros.

Marta estuvo unas tres semanas tomándolo. Hay dos maneras de tomarlo: comiendo tal cual la hoja o hirviéndolo. Directamente, tritu-raba un poco la hoja o la ponía en ensalada. Cuando lo tomaba, decía que lo pasaba fatal, que el sabor era asqueroso. Una vez que empezó a tomar el kalanchoe, comenzó a tener molestias en la barriga.

Un día no pudo más y se fue al hospital. Le hicieron un lavado de estómago y tenía una obstrucción. Estuvo cuatro días en el hospi-tal debido a esto. Lo que le hacía era retener líquidos. Durante tres días, de allí salió kalanchoe sin parar. Desde ese día no se encontró mejor de nuevo. Falleció tiempo después; aquella planta no le había hecho efecto.

El caso de Marta no fue el único. Se han registrado varios casos de obstrucción de las vías digestivas por consumir esta planta. El kalanchoe tiene mucílago, una sustancia que forma un gel en presencia de agua. Si se toma demasiado, estos mucílagos se pueden hinchar en el estómago.

Ningún estudio científico ha demostrado que el kalanchoe tenga eficacia contra el cáncer ni en personas ni en animales, ni siquiera en ensayos in vitro.

En las prácticas de estos curanderos que aseguran curar el cáncer con plantas hay un único afán de lucro. Nada en sus elixires tiene el menor rigor científico. Es una vergüenza que señores como el que le vendió kalanchoe a Marta, con pócimas mágicas y técnicas sin el menor rigor, puedan decir alegremente que lo curan todo.

Conclusión

Si tu médico o farmacéutico te ha recomendado un tratamiento, síguelo, y nunca lo cambies por lo que puedan venderte en una feria. En estos casos, el escepticismo puede ahorrarte disgustos (y dinero). Confía en la medicina, no en la magia.

Si sospechas que alguno de los medicamentos o ungüentos «naturales» que consumes realmente tienen alguna actividad farmacológica, recuerda comentárselo a tu médico o farmacéutico, porque podrían interferir en tu tratamiento.

Si tu médico o farmacéutico te ha comentado que la psoriasis no tiene cura por el momento (por poner un ejemplo de dolencia que hasta la fecha no tiene cura), no gastes ni tu tiempo ni tu dinero en algo que te asegure lo contrario.

Si no exiges un control de calidad en los productos manufacturados que consumes, el responsable último de sus efectos eres tú.

Así que disfruta de la feria medieval de este verano, de sus bollos preñados, de su fantástica bisutería artesanal, del teatro en la calle y de los espectáculos de magia. Pero con la otra magia, la de las plantas milagrosas, mejor no te la juegues.

Cedeira, Brais, «El embaucador de la infusión: Josep Pàmies "cura" el cáncer, el ébola y el sida con hierbas y lejía», en *El Español*, 2 de abril de 2017.

Lozoya, Xavier, «Fármacos de origen vegetal de ayer y de hoy», en *Investigación y Ciencia*, noviembre de 1997, 254, 1997.

Raviña Rubira, Enrique, *Medicamentos: un viaje a lo largo de la evolución del descubrimiento de fármacos*, vol. 1, Santiago de Compostela, Universidad de Santiago de Compostela, 2008.

14. Escuelas sin wifi
Mitos de la radiación

En el vestíbulo del colegio había un cartel que ponía: «Escuela sin wifi». Yo estaba allí para dar una charla sobre ciencia a los estudiantes, específicamente sobre mitos relacionados con la salud. Tenía bien preparada la presentación y no tenía pensado hablar de nada relacionado con el wifi. Por aquel entonces, los centros escolares alardeaban de toda clase de tecnologías, incluidas las conexiones inalámbricas a internet. No se alardeaba de la falta de tecnología. Sí, lo digo en pasado. Ese día me sorprendió aquel cartel. Hoy en día, carteles como este, que presumen de ir en contra de algunas tecnologías, ya no son algo tan sorprendente.

Le pregunté a la persona que vino a recibirme qué significaba aquel cartel.

—Hemos retirado la red wifi de todo el centro escolar.

—¿Aquí no usáis internet? ¿Estáis haciendo algún tipo de experimento pedagógico?

—Sí tenemos internet, pero nos conectamos por cable, como se hacía antes.

—¿Puedo saber por qué?

—Hace unos meses vinieron unos expertos de una fundación a dar una charla a la asociación de madres y padres de alumnos sobre el tema del wifi. Nos contaron que no se había demostrado que el wifi no causase daños en la salud y que debíamos ser precavidos, que había indicios de que determinadas radiaciones sí causaban enfermedades. Debíamos proteger especialmente a los niños. Algunos padres y profesores se alarmaron mucho. Por precaución decidimos desinstalar las conexiones ina-lámbricas.

—¿A mi charla van a acudir solo estudiantes, o vendrán también pro-fesores?

—Sí, habrá estudiantes y profesores, incluida la directora y el jefe de estudios.

Sabía lo que tenía que hacer. Aquella fue la primera vez que im-provisé una charla completa. Me olvidé de todo lo que había prepara-do. Aproveché una de las diapositivas que tenía, que iba a usar para hablarles de los peligros de tomar el sol sin protección solar. Era una diapositiva con un dibujo del espectro electromagnético. Di toda la charla con esa única imagen.

La historia no terminó ahí. Años después volvieron a invitarme a dar una charla. Algunas cosas de ese centro escolar habían cam-biado.

Qué es el wifi

El wifi es un mecanismo de conexión de dispositivos electrónicos de forma inalámbrica. Los dispositivos habilitados con wifi, como orde-nadores, teléfonos móviles, televisores, reproductores de música o videoconsolas, pueden conectarse a internet a través de un punto de acceso de red inalámbrica. El wifi funciona en la misma frecuencia que las radiaciones de radio, es decir, a través de radiación de baja energía (por debajo de la radiación visible y del microondas).

Esta tecnología surgió por la necesidad de establecer un mecanis-mo de conexión libre de cables. Buscando esa compatibilidad, en 1999 las empresas 3Com, Airones, Intersil, Lucent Technologies, Nokia y Symbol Technologies se unieron para crear la Wireless Ethernet Compatibility Alliance, o WECA, actualmente llamada Alianza Wi-Fi. El objetivo de la misma fue designar una marca que permitiese fo-mentar más fácilmente la tecnología inalámbrica y asegurar la com-patibilidad de equipos.

El wifi es una marca de la Alianza Wi-Fi, la organización comercial que adopta, prueba y certifica que los equipos cumplen con los estándares relacionados con redes inalámbricas de área local. La marca Wi-Fi no significa nada, no significa *wireless-fidelity* ni nada parecido, sino que la empresa de publicidad Interbrand la propuso como nombre comercial, convirtiendo el logotipo en el estándar de las redes sin cables. Es un claro ejemplo de nombre de marca que se convirtió en nombre genérico. Es algo que ocurrió con el chupachup, el chicle, el clínex, los gusanitos, las tiritas, el fixo, los támpax, los póstits, la cocacola, el superglú, el actimel, el pan bimbo, el redbull, etc. Convertir una marca en categoría de producto es uno de los mayores éxitos del marketing, a no ser que se olvide la historia y se convierta en todo lo contrario, que la marca no haya sabido transmitir su valor diferencial y que al consumidor le dé igual comprar tu producto o el de la competencia.

Esto es lo que le ha ocurrido a la marca comercial Wi-Fi, que, para más inri, ha dado lugar al sustantivo *wifi* que forma parte del *Diccionario de la Real Academia Española* desde 2014.

La conexión por wifi utiliza las ondas de radio de la misma forma que lo hacen los teléfonos móviles, las televisiones y las propias radios. Funciona de la siguiente manera.

El adaptador inalámbrico *(wireless)* de un ordenador traduce los datos en forma de señal de radio y los transmite utilizando una antena.

Un *router* inalámbrico recibe la señal y la decodifica. El *router* envía la información a internet utilizando una conexión por cable.

El proceso funciona también a la inversa: cuando el *router* recibe información de internet, la traduce a una señal de radio que es enviada al adaptador inalámbrico del ordenador.

Las radios que utilizan la comunicación por wifi son muy parecidas a las radios conocidas como *walkie-talkies*. Pueden transmitir y recibir ondas de radio. No obstante, las radios wifi tienen grandes diferencias con respecto a las otras: transmiten frecuencias algo mayores, de 2,4 gigahercios (GHz) o 5 GHz, que permiten que la señal emita mayor información, y utilizan los llamados estándares de las redes 802.11.

Existen varios tipos de ondas. Unas son ondas mecánicas, que necesitan de un medio material para propagarse, como las que se producen en la superficie del mar o las del sonido, que se transmiten por el aire.

Otras son las electromagnéticas, que se propagan en el vacío, sin necesidad de un medio material. Entre ellas encontramos la luz, la radiación ultravioleta, las ondas de radio o las ondas wifi.

Podemos decir que la unidad de las ondas electromagnéticas es el fotón, y que los fotones de los distintos tipos de ondas se diferencian por su frecuencia. La frecuencia de los fotones de la radiación ultravioleta es mayor que la del wifi y es menor que la de los rayos X.

La frecuencia que emiten las antenas y terminales de telefonía móvil es de 900 megahercios (MHz) o de 1.800 MHz. La frecuencia del wifi es de 2,4 gigahercios (GHz) o de 5 GHz. Mayor frecuencia implica mayor energía. Por eso un fotón de rayos X es cinco mil veces más energético que uno de luz visible y diez mil millones de veces más que los que emiten los teléfonos móviles.

La intensidad de una radiación es la cantidad de fotones que lleva asociada y también es muy importante. Aunque la frecuencia de las microondas de un horno y las de un teléfono móvil es parecida, la intensidad de la radiación que emite el horno microondas es unas cinco mil veces mayor que la del teléfono. Si sustituyésemos el generador de microondas del horno por el que hay en un teléfono móvil, trabajando ininterrumpidamente a la máxima potencia, tardaríamos más de diez días en hacer hervir un vaso de agua.

Nuestro mundo está lleno de ondas electromagnéticas. Unas pocas son visibles y se manifiestan en los colores de las cosas. Otras las podemos sentir en forma de calor (las infrarrojas), o detectar con aparatos (las de radio, telefonía, radar o televisión). Las ondas capaces de romper moléculas (rayos X, gamma) se llaman ionizantes, mientras que las que no logran hacerlo se denominan no ionizantes (ondas de radio, microondas, infrarrojas, visibles). Algunas radiaciones no ionizantes pueden aumentar los movimientos de las moléculas, lo que se traduce en calentamiento. Los hornos de microondas se basan en esa propiedad.

El peligro siempre depende del tipo de radiación y de la dosis. Son peligrosas las radiaciones que pueden romper las moléculas del cuerpo. Si eso sucediera, por ejemplo, con nuestro ADN, podría ocasionarse un cáncer. Es importante saber que, aunque un solo fotón de rayos X pueda romper una molécula de ADN, miles y miles de fotones de luz visible no pueden conseguirlo. Para comprenderlo podemos pensar en la cantidad de energía necesaria para lanzar una piedra al otro lado del Atlántico. Aunque miles de personas se coordinasen para lanzar sus piedras, ninguna de ellas alcanzaría la otra orilla del océano.

El segundo factor que hay que tener en cuenta es el de la dosis, que depende de la intensidad de la radiación y del tiempo de exposición a ella.

A diario estamos expuestos a fuentes naturales de radiación (incluidas algunas radiaciones ionizantes) en dosis que no son peligrosas para la salud. Las grandes intensidades, desde luego, implican mayor riesgo. Todos lo hemos visto en nuestra exposición al sol. La radiación ultravioleta es capaz de causar eritemas en nuestra piel, de producir radicales libres que aceleran el envejecimiento, crean arrugas, manchas y el temible melanoma.

En orden creciente de energía, las principales ondas que tenemos son: ondas de radio, microondas, infrarrojos, visibles, ultravioleta, rayos X y rayos gamma. Del ultravioleta en adelante, las ondas tienen suficiente energía como para causar daños en la salud. Por debajo del ultravioleta están las ondas visibles, es decir, la luz que vemos como colores. Del visible hacia abajo (infrarrojos, microondas y radio), ninguna de esas ondas será capaz de provocar daños en nuestra salud.

La historia de las escuelas sin wifi

El wifi es un invento reciente, más moderno que las empresas y asociaciones que surgieron con el único propósito de oponerse al uso de tecnologías que funcionan con radiación de baja energía, como las antenas de telefonía móvil o los hornos microondas.

El momento en el que la oposición a ciertas radiaciones alcanzó el punto de difusión mediático más elevado fue en 1999. En el programa de televisión de Larry King entrevistaron a un viudo estadounidense que estaba convencido de que su mujer había fallecido por un cáncer causado por la radiación de los teléfonos móviles. Según el entrevistado, el tumor de su mujer estaba localizado detrás de la oreja derecha, justo donde ella colocaba el móvil para hablar. Para este hombre, aquello demostraba una relación de causa-efecto irrefutable. El viudo demandó a la empresa de telefonía móvil que, según él, se había cobrado la vida de su mujer.

Después de la emisión de la entrevista, diferentes medios de comunicación se hicieron eco, y esa idea de que la telefonía móvil causaba cáncer se extendió rápidamente por el resto del mundo. No tardó en ocupar los medios de comunicación europeos. Ese año hubo una oleada de demandas a las compañías de telefonía móvil. Todas aquellas demandas fueron desestimadas, y ningún demandante pudo sacar beneficio económico de aquello. No existía ningún estudio científico que respaldase la posibilidad de que las ondas de telefonía móvil causasen cáncer.

Esta preocupación por la radiación móvil nos alcanzó a todos. A principios de los años 2000 era frecuente llevar pegatinas en los teléfonos móviles que supuestamente absorbían las radiaciones tóxicas. Yo misma, con quince años, tenía una pegatina circular pegada al altavoz de mi Nokia 3310 que creía que me protegería de padecer un tumor cerebral.

Lo que se extrae de esta historia es que resulta sencillo generar nuevas preocupaciones y que estas se viralicen. Con la llegada de internet a la mayoría de hogares, todos estamos a un par de clics de los mensajes del miedo. Si escribimos «wifi» en un buscador de internet, veremos que los primeros resultados alertan de los peligros para la salud de estas tecnologías. Si recurrimos a cualquier página web en lugar de a fuentes de información fiables, como bien pueden ser la OMS o las webs de centros de investigación de referencia, no encontraremos nada que se le parezca. Todos los estudios científicos publicados con respecto al wifi muestran que no causa ningún daño demostrable conocido.

A pesar de ello existen organizaciones y un tejido empresarial nada desdeñable cuyo cometido es informar de los supuestos peligros del wifi (y de otras radiaciones de baja energía). De hecho, la mayor parte de estas empresas y organizaciones españolas dependen de una única compañía. Todas ellas tienen la misma dirección fiscal, incluida la que promueve las escuelas sin wifi.

Todo este entramado empresarial antirradiación vive de donaciones, del trabajo de voluntarios que trabajan por la causa y de actividades formativas que imparten en centros escolares, para padres, profesores, alumnos, de la venta de libros, de conferencias por las que sus líderes cobran suculentos honorarios e incluso entrada, y a partir de ahí nutren a sus empresas particulares de diseño de interiores y de venta de materiales que supuestamente protegen de la radiación. Desde medidores de radiación a tejidos, pinturas, cables especiales, etcétera.

La estrategia de desinformación de las escuelas sin wifi

Si buscas en internet «escuelas sin wifi» no encontrarás ningún estudio que relacione el wifi con el cáncer ni con ninguna otra enfermedad. Sí leerás que dicen que se necesitan más pruebas, que es preciso que se siga investigando hasta que se demuestre que el wifi es totalmente seguro y, como mucho, presuponen que, si otras radiaciones son capaces de provocar daño (como las de alta energía, cosa que ya es sobradamente conocida y sobre la que actuamos en consecuencia), por qué el wifi no podría causarlo también. Obvian los conocimientos más básicos en ciencia para que parezca que hay razones por las que preocuparse. Siguen una estrategia de desinformación que, visto lo visto, les funciona.

Hay tres puntos clave sobre los que se sustenta su desinformación. El primer punto clave es comparar la radiación de alta energía con la de baja energía. Sabemos que la radiación de alta energía, como la ultravioleta, los rayos X o la radiación gamma, es capaz de causar daños a nuestra salud, principalmente porque tiene la capacidad de dañar nuestro ADN. La radiación de baja energía, como la luz visible, la de los colores, obviamente no es capaz de causarnos daño. ¿Cómo es posible que la radiación de menor energía que la visible, como la radiofrecuencia del wifi, pueda causarnos daño? Efectivamente, no puede. Esto es ciencia básica. La estrategia de estas empresas antiwifi es muy rastrera: se aprovechan del desconocimiento científico de parte de la sociedad para desinformarles.

El segundo punto clave es pedir que se demuestre que la wifi no causa cáncer. Esta demanda es tramposa. ¿Se puede demostrar que una silla no causa cáncer? ¿Se puede demostrar que un libro no causa cáncer? ¿Se puede demostrar que cruzar los brazos no causa cáncer? ¿Por qué nadie se preocupa por ello? ¿Se puede demostrar que no existen los perros verdes? Esa es la trampa. Efectivamente no se puede demostrar que algo no cause algo, o que algo no exista. Lo único que podemos tratar de demostrar es si algo sí causa cáncer o sí existe. Si encuentro un perro verde, demuestro que sí existe, y como no lo he encontrado diré que no se ha demostrado que existan los perros verdes.

Lo que se hace es demostrar si algo es capaz de causar un daño concreto. Por ejemplo, no podemos demostrar que cruzar los brazos no causa cáncer. No podemos demostrar que las sillas no causan cáncer. O que un libro no causa cáncer. De la misma forma, no se puede demostrar que el wifi no cause cáncer, porque no tiene sentido demostrar una negación de causa. Solo se pueden demostrar las afirmaciones de causa. El dato importante es: no se ha demostrado que el wifi cause cáncer. De la misma forma que no se ha demostrado que existan los perros verdes.

El tercer punto clave es que apelan al principio de precaución. Dicen que, si no se demuestra que el wifi no causa enfermedades, lo mejor es ser precavidos y no utilizar esa tecnología. Esto está relacionado con lo anterior, con la sutil diferencia de que se apela al principio de precaución, y eso, en una primera impresión, puede sonarnos razonable. Pero si apelamos al principio de precaución, ningún progreso sería posible. Podríamos utilizarlo como excusa para todo. Por ejemplo, «hasta que no se demuestre que tender la ropa no causa enfermedades, por precaución voy a dejar de tender la ropa». El principio de precaución nos sirve de excusa para no realizar labores domésticas. Sirve para todo, por eso no sirve para nada.

LA TRAMPA DEL PRINCIPIO DE PRECAUCIÓN

En Wikipedia encontramos que «el principio de precaución determina que, si de una actuación o política se sospecha que pueda haber riesgo de causar daño a la gente o al ambiente, en ausencia de consenso científico que establezca que esa acción o política no es perjudicial, la carga de la prueba de que, efectivamente, no lo es, recae sobre quienes la desarrollan».

Esta es la definición de principio de precaución a la que recurren los movimientos que se oponen al progreso científico y tecnológico. Esto se debe a que, con esa definición, quienes producen la tecnología sobre la que se aplica el principio de precaución deben demostrar que esa tecnología no produce daños. Esto incurre en dos trampas. La primera es que la responsabilidad de la prueba no recae en quien acusa. Acusan de algo sobre lo que no tienen pruebas y además te exigen que las pruebas las aportes tú.

La segunda trampa es que piden que se demuestre que no existe riesgo de causar daño. No se puede demostrar que algo no cause daño o que algo no exista. Solo se puede demostrar que algo sí causa daño o que sí existe, pero no se puede demostrar la negación de causa o la negación de existencia. No tiene sentido hacerlo. ¿Puedo demostrar que no existen zapatos parlantes? No, no puedo demostrar que no existen. Solo puedo demostrar, si observo un zapato hablando, que sí existen los zapatos parlantes.

Por ese motivo el principio de precaución tiene truco, porque conduce a dar la razón a quien apela a él, por definición.

Por último, el principio de precaución minusvalora y desprecia los beneficios que reportaría la implantación de las tecnologías bajo sospecha. En ese sentido es, además de tramposo, muy desequilibrado. Los beneficios del wifi o de la telefonía móvil no se valoran, con lo que solo uno de los brazos de la balanza se carga, el de los supuestos perjuicios. Sería interesante evaluar lo que habríamos perdido si se hubieran prohibido, por principio de precaución, los automóviles, los barcos, los trenes o los aviones. Porque si sumamos las muertes que han ocasionado en el último siglo esos medios de transporte, además del resto de perjuicios ambientales que causan, la aplicación del principio de precaución habría conducido a su total prohibición.

Conclusión

Cuando se apela al principio de precaución para retirar el wifi de las escuelas, se incurre en un error fundamental: no se puede demostrar que algo no produce daño. Solo se puede demostrar que algo sí lo produce. Pedir que se demuestre que el wifi no causa cáncer o cualquier otra enfermedad es una trampa que suena muy bien, pero no tiene sentido. Aplicando la misma estrategia, un alumno podría dejar de ir a clase por precaución, hasta que la escuela no demuestre que ir a clase no causa cáncer, cosa que es indemostrable por definición.

Si apelamos al principio de precaución, ningún desarrollo tecnológico y científico se aplicaría jamás.

Lo que deberíamos conocer sobre el wifi, y lo que realmente desmonta el mito, es que la radiación de la tecnología wifi es una radiación de baja energía y de baja intensidad. Está en el rango de la radiación de las ondas de radio. Es decir, que tiene menos energía que la radiación visible, la de la luz y la responsable de los colores de las cosas. Esto implica que esta radiación no es capaz de producir daños que afecten a nuestra salud. Prohibir la tecnología wifi en una escuela es tan absurdo como prohibir la radio.

Cuando años después volvieron a invitarme a aquel centro escolar, pude conectarme a internet a través de su wifi y, obviamente, habían retirado el cartel de «escuela sin wifi». No soy tan pretenciosa como para creer que mi charla suscitó ese cambio de parecer. Fuese como fuese, esa fue la primera alegría que me llevé al volver allí. La información había ganado la batalla a la desinformación.

Esta vez, la persona del centro que me recibió alardeaba de que todos sus alumnos utilizaban *tablets* en lugar de libros. Dudo de que una *tablet* implique una mejora educativa, al menos *per se*, pero sí representa una declaración de intenciones con respecto a la innovación tecnológica y su actitud frente a ella: alardear del progreso en lugar de oponerse a él.

PRINCIPALES FUENTES CONSULTADAS

«Escuela sin Wifi», <www.escuelasinwifi.com>.

Gámez, Luis Alfonso, «¿El origen del pánico electromagnético? Sigan el dinero», en *Magonia*, 11 de octubre de 2011, <http://magonia.com/2011/10/11/el-origen-del-panico-electromagnetico-sigan-el-dinero/>.

INH, «¿Qué es el cáncer?», en Instituto Nacional del Cáncer, s. f., <www.cancer.gov/espanol/cancer/naturaleza/que-es>.

OMS, «Compiled Fact Sheets Regarding Electromagnetic Fields And Public Health», Organización Mundial de la Salud, <www.who.int/peh-emf/publications/factsheets/en/>.

Pérez, Juan Ignacio, «El principio de precaución tiene truco», en *Vozpópuli*, 22 de junio de 2014, <www.vozpopuli.com/altavoz/next/Ciencia-Principio_de_precaucion-xx-Transgenicos-Tecnologias_0_718128229.html>.

Schwarz, Mauricio José, «El negocio del miedo electromagnético», en *El retorno de los charlatanes*, 10 de octubre de 2011, <http://charlatanes.blogspot.com.es/2011/10/el-negocio-del-miedo-electromagnetico.html>.

15. Es peligroso calentar comida en el microondas
Mitos de la radiación

Para comprobar si no se escapa la radiación de nuestro horno microondas hay un conocido experimento que todos podemos hacer en nuestra casa. Consiste en introducir el teléfono móvil en el microondas, cerrar la puerta y llamar. Si el teléfono móvil suena, es que la radiación puede entrar y salir. En cambio, si no suena ni da señal, es que el microondas está perfectamente sellado y la radiación ni entra ni sale de él.

Esta es la forma más común de comprobar si nuestro microondas es seguro. Si todavía no has hecho este experimento, hazlo antes de seguir leyendo.

Ya lo has hecho y, ¡maldita sea!, el teléfono ha sonado. A mí me ha pasado lo mismo. He cambiado de microondas, me he comprado uno mejor y me sigue pasando lo mismo. El teléfono siempre suena. También he comprobado si llegaban los mensajes a través de internet, y, maldita sea, me llegan las llamadas y los mensajes.

¿QUÉ SON LAS MICROONDAS?

Las microondas son un tipo de radiación. Las radiaciones las clasificamos en lo que denominamos *espectro electromagnético*. Aquí las organizamos en función de su energía. Las radiaciones más energéticas son, de menor a mayor, la ultravioleta (la que nos produce quemaduras solares y nos broncea), los rayos X (los que se usan en las radiografías) y la radiación gamma (la de las sustancias radiactivas). A estas radiaciones de elevada energía las llamamos *radiaciones ionizantes*. Ionizante quiere decir que es capaz de alterar moléculas y romperlas. El ADN que tenemos en nuestras células es una molécula que puede ser alterada por esta radiación ionizante, por eso nos protegemos de ella.

La radiación que no es ionizante es la que tiene menos energía que la ultravioleta de alta frecuencia. Es decir, la *radiación no ionizante* es incapaz de producir una alteración en el ADN y por eso no nos preocupamos por ella, porque no nos hace ni cosquillas.

Dentro de esta radiación no ionizante encontramos, de mayor a menor energía, la radiación visible (la de la luz, la que hace que veamos el color de las cosas), la infrarroja (la que sentimos como calor); por debajo está la radiación microondas, la del wifi, la de los radares, la de los teléfonos móviles o las de radio. Es decir, que la radiación de microondas tiene menos energía que la radiación de los colores. Está llegando a tus ojos una radiación más energética observando las páginas de color blanco de este libro que si este libro emitiese microondas.

El origen del horno microondas

Sucedió en 1945, cuando el ingeniero estadounidense Percy Spencer estaba investigando posibles formas de mejorar el funcionamiento del radar en la empresa Raytheon. Trabajaba rodeado de magnetrones, unos dispositivos que transforman la energía eléctrica en microondas electromagnéticas que el radar utiliza para medir, entre otras cosas, distancias, altitudes, direcciones y velocidades.

Se cuenta que un día Spencer se percató de que la barrita de chocolate que llevaba en el bolsillo se estaba derritiendo mientras se encontraba delante de un magnetrón. Le pareció fascinante y quiso hacer unas cuantas pruebas más para comprender lo que había sucedido, así que colocó una sartén con un huevo y un recipiente de palomitas de maíz cerca del generador. Después de un rato, Spencer comprobó asombrado que el huevo estaba perfectamente cocinado y las palomitas listas para comer.

Había descubierto que la exposición a microondas electromagnéticas de baja intensidad calienta los alimentos. A raíz de estas observaciones patentó su descubrimiento y comenzó el desarrollo del primer horno microondas, que comenzó a comercializarse en 1947.

Sus comienzos no fueron fáciles. El primer aparato era muy grande y aparatoso, y necesitaba una instalación muy costosa. El modo de conseguir la energía era a través de unas tuberías de agua. Sus ventas iniciales fueron un desastre, pero sus posteriores modificaciones lograron un aparato muy similar al que conocemos hoy. Spencer y sus técnicos consiguieron cambiar su funcionamiento por un mecanismo de aire, con lo que se ahorraron la instalación de tuberías y su gran tamaño. Poco a poco pudieron implantar su invento en casas y en industrias, como el secado de madera. En la década de los setenta se inició la venta del microondas como electrodoméstico casero. Primero, en Japón, donde comenzó a utilizarse de forma notable en los hogares, y diez años después ya estaba en el 60% de los hogares estadounidenses.

Su entrada en España fue más tardía. Empezó a comercializarse en los ochenta, pero resultaban extremadamente caros. Eso unido a la poca tradición que había de comer alimentos congelados, que era el uso que más se publicitaba. Hasta los noventa no llegó a implantarse.

En Estados Unidos y Europa no se popularizaría hasta los años ochenta, cuando su comercialización masiva, su adaptación en tamaño a las casas y su precio más económico contribuyeron a ello.

Cómo funciona un horno microondas

Dentro del microondas hay un dispositivo llamado magnetrón, que convierte la electricidad en radiación de microondas. Las microondas se dirigen hacia el interior del horno a través de una abertura que es transparente a esta radiación. La radiación de microondas rebota en las paredes y en la puerta de metal, reflejándose hacia el interior y llegando al alimento. Para que las microondas lleguen de forma homogénea, el horno suele contar además con un plato giratorio.

En los métodos de calentamiento convencionales, el calor se aplica al exterior del alimento y se transfiere al interior por conducción, principalmente. Es decir, el interior del horno se calienta porque este tiene una resistencia que transforma la electricidad en calor. Este calor se transfiere a las paredes de horno y al aire del interior, y este a los alimentos y los recipientes. Es un proceso de transferencia de calor lento y energéticamente poco eficiente, pero que permite alcanzar elevadas temperaturas y conseguir tostar los alimentos.

Sin embargo, las microondas calientan a través de dos mecanismos: rotación dipolar y polarización iónica. La rotación dipolar se produce porque las moléculas polares (agua, proteínas, carbohidratos) intentan alinearse con la radiación de microondas. Para alinearse, las moléculas rotan con respecto a su posición original y se rozan unas con otras. Esa fricción es la que produce calor. Por su parte, la polarización iónica tiene lugar en alimentos con iones, como por ejemplo las sales. Los iones pueden ser positivos o negativos. Los positivos se desplazarán hacia el polo negativo y los negativos hacia el polo positivo. Durante este desplazamiento colisionan con otras moléculas e iones, y esto genera calor.

Ambos procesos se producen muy rápido, por lo que los alimentos se calientan rápidamente. La desventaja es que se calientan de forma más heterogénea que con el calentamiento convencional. Los alimentos se calentarán de manera más o menos rápida dependiendo de varios factores: su temperatura inicial (cuanto más alta sea, más rápido será el calentamiento), su densidad y homogeneidad (cuanto más denso sea el alimento, más tiempo se necesitará, y cuanto más homogéneo sea, mayor y más igualada será la absorción de las microondas por el mismo y, como consecuencia, el proceso tardará menos), su forma (si es regular, se calentará más deprisa que si es irregular) y su cantidad (normalmente existe una relación lineal entre la cantidad de alimento y el tiempo de calentamiento).

Las ventajas que el calentamiento en hornos microondas presenta respecto a otros más tradicionales son: limpieza, ahorro de energía, control preciso del proceso y tiempos de iniciación y terminación más cortos. Por estos motivos, el uso de microondas en la industria alimentaria, en los servicios de *catering* y en el ámbito doméstico se han ido incrementando rápidamente. Hoy en día se emplean para descongelar, calentar, recalentar, blanquear y cocinar. Sin embargo, una de las principales desventajas del calentamiento por horno microondas radica en que no se pueden obtener alimentos ni tostados ni crujientes. Ello se debe fundamentalmente a que la temperatura que se alcanza en la superficie del alimento es inferior a la que se precisa para que se desarrolle la reacción de Maillard —la reacción química más famosa de la cocina, la que sucede siempre que un alimento se dora—, lo cual limita y hace que no consigamos sabores tan suculentos. Por eso el horno microondas se usa a menudo como utensilio para calentar y recalentar, más que como una herramienta para cocinar, a no ser que se le acople un sistema de *grill*.

¿La radiación microondas se queda en el alimento?

De la misma manera que la radiactividad es capaz de contaminar la materia, podríamos pensar que otros tipos de radiación también pueden hacer algo parecido. La radiactividad es radiación ionizante, es radiación de muy alta energía que es capaz de romper moléculas y de ionizarlas, por eso es tan peligrosa.

La radiactividad es un fenómeno que ocurre en los núcleos de ciertos elementos inestables, que son capaces de transformarse espontáneamente en núcleos atómicos de otros elementos más estables, o, en palabras más simples, un átomo inestable emite radiactividad para volverse estable. La radiactividad es un fenómeno de alta energía que va asociado a ciertos átomos que forman la materia. No podemos hacer que cualquier cosa se vuelva radiactiva aplicando calor o radiación de baja energía, porque esta radiación es incapaz de alterar la estructura interna de un átomo, por mucho que lo intentemos. Es imposible.

Así que, por un lado, es imposible que un alimento se vuelva radiactivo al calentarlo, ya sea en un horno convencional o en un horno microondas. Cuando calentamos un alimento con microondas, las moléculas que forman el alimento rotan y chocan entre sí, dando como resultado un aumento de la temperatura. Como las microondas no son materia, sino radiación, no pueden formar parte de la materia, no pueden quedar apresadas en ella. La radiación no se queda en el alimento, sino que se convierte en calor. El alimento no se llena de microondas, sino que simplemente se calienta.

Algo caliente es, sencillamente, algo caliente. Da igual que lo hayamos calentado en un horno convencional, en una cocina de gas, en una de inducción o en un horno microondas.

Cuando algo se calienta, sea de la manera que sea, sufre cambios. El agua se evapora, las proteínas de desnaturalizan, el azúcar se carameliza, etc. Con el calor, los alimentos sufren cambios químicos, y estos serán los mismos, independientemente del método utilizado para calentar.

¿Afecta el microondas a la calidad nutricional de un alimento?

Las pérdidas en el valor nutricional de un alimento se deben, sobre todo, a las elevadas temperaturas, a los largos tiempos de cocción, al uso de caldos o agua durante el calentamiento, ya que algunos nutrientes pueden pasar a formar parte de un caldo que luego no va a consumirse. Algunas vitaminas, como la vitamina C, se pierden en cuanto calentamos el alimento. Así, el tomate crudo, que contiene vitamina C, la pierde en cuanto lo horneamos o lo freímos.

En cambio, con el microondas los alimentos se exponen menos tiempo a temperaturas elevadas, por lo que cabe pensar incluso que exista un menor riesgo de pérdida de nutrientes esenciales sensibles al calor, y por lo tanto un aumento del valor nutritivo del producto cocinado.

De forma similar, la pérdida de nutrientes por que estos pasen al caldo parece menor cuando el procesamiento se realiza por microondas respecto al tradicional, ya que los tiempos de cocción son más cortos y no se necesita que los alimentos estén sumergidos en agua para cocerlos. La vitamina C y muchas de las vitaminas B, como la B6 y la B12, son hidrosolubles, es decir, son solubles en agua, con lo que se pierden en una cocción en agua convencional.

Consideremos las espinacas. Si las hervimos al fuego podrían perder hasta el 70 % de su ácido fólico (vitamina B9). Si las cocinamos en el microondas con tan solo un poco de agua, estas retendrán casi todo su ácido fólico.

Incluso en los alimentos más sensibles, como la leche infantil, los nutrientes no se ven afectados cuando los calentamos en el microondas.

¿Se enfría más rápido la comida calentada en el microondas?

Si el valor de la temperatura es el mismo, da igual cómo se haya alcanzado, rápida o lentamente.

Podemos hacer el experimento en casa. Si dos alimentos tienen la misma temperatura, uno calentado en un horno convencional y otro en un horno microondas, podemos medir con un termómetro cómo la temperatura de uno y de otro va disminuyendo a la misma velocidad. En ambos casos, las moléculas se movían rápidamente cuando el objeto estaba caliente, y luego más lentamente según se ha ido enfriando. Las moléculas no recuerdan cómo han sido calentadas; simplemente alcanzan cierta temperatura y esta va bajando a medida que pierden calor.

Es cierto que muchas veces tenemos la impresión de que los alimentos se enfrían antes cuando han sido calentados en un microondas. Esto se debe a varias causas. Una es que el microondas calienta las cosas de forma irregular. No calienta igual el agua que el hielo, ni calienta el centro de un alimento igual que la superficie. La razón es que las microondas no pueden penetrar muy bien en los alimentos, de modo que para calentarlos regularmente hace falta asegurarse de que han sido expuestos a la radiación por todas partes durante un tiempo suficientemente largo. Por lo tanto, si tocamos un alimento y notamos la superficie muy caliente y, al cabo del tiempo, el alimento se ha enfriado más rápido de lo que cabría esperar, probablemente sea porque el centro estaba aún frío.

Un alimento calentado en un horno tradicional sufre el mismo fenómeno, pero como está más tiempo calentándose, las partes calientes tienen más tiempo para transferir calor a las más frías, y la diferencia de temperatura entre ellas es menor.

Otra de las razones está en el recipiente que utilizamos para calentar. En un horno o en una cocina tradicional, utilizamos recipientes de metal, vidrio o cerámica. Estos recipientes se van calentando al mismo tiempo que los alimentos, porque reciben igualmente el calor. Cuando los apartamos de la cocina o del horno, siguen manteniendo el calor, y esto hace que el alimento que contienen mantenga la temperatura durante más tiempo.

En cambio, cuando calentamos alimentos en un microondas solemos emplear recipientes de plástico. El caso es que el plástico no contiene moléculas polares, por lo que no se calienta. Es la comida la que se calienta y le va transfiriendo el calor al recipiente. El calor se pierde más rápidamente, y esto hace que la temperatura también baje más rápido. En cambio, si la hubiésemos calentado en un recipiente cerámico, la temperatura se mantendría el mismo tiempo que si la hubiésemos calentado en un horno convencional.

Si pruebas a meter un recipiente de plástico o de poliespán en el microondas, verás que no se calienta por más tiempo y potencia que utilices. Esto sucede porque no contienen sustancias polares.

¿Es peligroso meter metal en un microondas?

Los metales reflejan muy bien las ondas electromagnéticas y es por eso por lo que las paredes del microondas son de metal. De manera que, para el microondas, los metales actúan como espejos.

¿Qué sucede si, por ejemplo, metes un alimento envuelto en papel de aluminio en el microondas? Si lo haces, comprobarás que la comida que hay dentro no se calienta. Esto es así porque las microondas se reflejan en el envoltorio y no penetran hasta el alimento.

Esto no es perjudicial ni para ti ni para el alimento. Pero si lo haces muchas veces, puede acabar siendo perjudicial para el aparato. Ocurre lo mismo que si el microondas está funcionando vacío durante mucho tiempo. Lo que sucede es que, al no haber nada que absorba las microondas, estas vuelven al magnetrón, el aparato que las crea. Puedes ver dónde está en tu horno porque, si te fijas, la pared de dentro no es completamente de metal. Hay una parte que suele ser rectangular que no está cubierta de metal, y es por donde entran las microondas en la caja. Si no hay nada que las absorba, vuelven a entrar por ese agujero en el magnetrón y pueden quemarlo poco a poco.

Otra particularidad de los metales es que, si se hace incidir una onda electromagnética sobre una vara de metal, los electrones de la vara empezarán a moverse arriba y abajo al ritmo de la onda. Esto es lo que sucede en las antenas. Cuando la onda no es muy intensa, solo unos pocos electrones se mueven, pero si es muy intensa lo hacen muchos.

El microondas es capaz de hacer que los electrones del metal se muevan muy rápido. La consecuencia es que si el metal es muy fino y alargado tendrá mucha resistencia, es decir, se calentará mucho. Eso ocurre a veces con las decoraciones metálicas de las vajillas. Aunque también hay cuencos y tazas de cerámica que en el microondas parecen calentarse más que el alimento que contienen. A veces acabas con un recipiente tan caliente que no lo puedes tocar, y con el alimento frío dentro. La razón suele ser que la cerámica de la que están hechos contiene partículas metálicas, generalmente de aluminio, que se comportan como pequeñas antenas por las que los electrones van y vienen rápidamente, haciendo que el recipiente se caliente mucho. Esto no es peligroso; solo hace que calientes el alimento de forma poco eficiente.

Sin embargo, cuando el objeto metálico es puntiagudo, los electrones se acumulan en los extremos, tal y como lo hacen los rayos en las antenas. Pueden llegar a acumularse tantos que se produce una pequeña descarga de arco eléctrico por el aire hasta otro objeto cercano, como un pequeño rayo, que observamos como una chispa. Aunque asusten, estas chispas no son peligrosas, a no ser que estemos calentando algo que sea inflamable, como el aceite o el papel. Es decir, el principal peligro de los metales es que pueden prender fuego a lo que tengan alrededor.

Si un objeto metálico no es ni fino ni alargado y, por ejemplo, lo metemos en agua, no ocurre absolutamente nada. Ni se calienta más de lo normal, ni saltan chispas, ni se daña el magnetrón. La radiación que refleja pasará al agua y esta se calentará normalmente.

¿Por qué hay líquidos que comienzan a hervir al sacarlos del microondas?

Cuando un líquido hierve, lo que sucede es que empiezan a formarse pequeñas burbujas de vapor en su interior. Esas burbujas se han formado porque las moléculas del líquido han obtenido la energía suficiente para elevar su temperatura hasta el punto de ebullición y pasar de estado líquido a estado vapor. Cuando varias de estas moléculas se agregan formando suficientes burbujas, estas comienzan a escaparse de la fase líquida. En ese momento es cuando decimos que un líquido está hirviendo.

Puede ocurrir que un líquido se caliente por encima de su punto de ebullición sin llegar a hervir. Cuando esto sucede se dice que el líquido se ha sobrecalentado. Aunque es algo difícil de conseguir, sí es posible calentar agua por encima de los cien grados Celsius a presión ambiental y sin que hierva.

Cuando calentamos un líquido en la cocina, lo estamos calentando desde el fondo, de forma que se producen corrientes de convección que hacen que el líquido se mueva de forma turbulenta y la fracción más caliente ascienda y, por tanto, las burbujas de vapor también. Por este motivo es prácticamente imposible sobrecalentar un líquido en una cocina convencional.

En cambio, si calentamos un líquido en el horno, ya sea microondas o convencional, este se calienta por igual porque el calor llega de todas partes, no solo desde abajo. Aun así, si existe cualquier superficie que sirva de punto de agarre para las burbujas, estas tenderán a agruparse ahí y a escapar de la fase líquida, es decir, que el líquido comenzará a hervir igualmente. Si la superficie del recipiente no es totalmente lisa, es casi imposible que se produzca el sobrecalentamiento, porque las irregularidades sirven de núcleos alrededor de los que se forman las pequeñas burbujas de vapor.

Aquí está la solución, y al mismo tiempo la trampa. Si se da la casualidad de que calientas agua en una taza nueva con la superficie muy lisa, es posible que la saques del microondas a una temperatura mayor de cien grados Celsius sin que haya comenzado a hervir. Una vez fuera del microondas, cuando introduces la bolsita de la in-

146

fusión, una cucharada de café instantáneo o una cuchara, el agua se transformará en vapor de forma rápida e incontrolada, pudiendo salpicarte y quemarte. Es como si hirviera de golpe.

Es muy improbable que esto suceda, ya que es muy improbable que la superficie de una taza o un vaso sea perfectamente lisa. Algunos recipientes de vidrio de altísima calidad, como los pírex que se utilizan en el laboratorio, pueden favorecer este tipo de fenómenos, pero en un vaso o taza normal es muy raro que suceda.

Si eres muy precavido y vas a estrenar una taza nueva, puedes ahorrarte un susto dejando una cucharilla en su interior cuando vayas a calentarla en el microondas. Así, las burbujas se formarán sobre la superficie imperfecta de la cuchara. Otra opción es frotar la taza con algo rugoso, que puede ser desde unos granos de sal o azúcar hasta el estropajo con el que friegas la vajilla. Ese roce generará unas imperfecciones suficientes como para servir de puntos de agarre a las burbujas.

El microondas no produce cáncer

Uno de los peores y más extendidos mitos que circulan alrededor del uso del microondas es que pueden producir cáncer. Es una creencia muy extendida entre ciertos sectores de «lo alternativo» o ciertos movimientos «antiprogreso». Cualquier tecnología que sea novedosa, que nos siga pareciendo que funciona misteriosamente, de forma diferente a la tradicional, causa recelo. Es un campo de cultivo idóneo para que proliferen mitos a su costa y que unos cuantos aprovechan para desinformar y, de paso, vender alguna chifladura que nos proteja de todos esos malos augurios.

Esto es imposible. El microondas no produce cáncer. La radiación de microondas tiene tan poca energía que no es capaz de alterar nuestro ADN, por más tiempo y cantidad de radiación microondas que recibamos a lo largo de nuestra vida. De hecho, para desmentir este mito, nada mejor que acudir a la Asociación Española Contra el Cáncer, que publicó en 2004 un documento denominado *Campos electromagnéticos y cáncer: preguntas y respuestas*, cuyo texto ha sido avalado por diversas entidades de prestigio, como la Sociedad Española de Oncología Médica. En el texto se refuta con rotundidad cualquier posible relación entre el uso del horno microondas y un mayor riesgo de sufrir cáncer.

La única radiación que es capaz de alterar las células es la radiación ionizante. Es decir, la radiación ultravioleta de alta frecuencia, los rayos X o la radiactividad sí aumentan el riesgo de padecer cáncer. Más crema solar para protegernos de la radiación ultravioleta y menos preocuparnos por peligros que no existen.

Conclusión

Cuando metes un móvil en un microondas, este recibe igualmente mensajes y llamadas. Esto no quiere decir que la radiación de microondas también pueda entrar y salir. La radiación de microondas es una radiación de baja energía, como la del wifi o la de la telefonía, pero no tiene exactamente el mismo valor. De hecho, si tuviesen los mismos valores, unos aparatos interferirían en otros.

En la puerta de los microondas suele haber una lámina metálica con agujeros. Eso nos permite observar lo que sucede dentro y, por otro lado, sirve como barrera para la radiación de microondas. La radiación de microondas no cabe por esos agujeros, así que no es posible que se escape. De hecho, rebota hacia el interior, igual que lo hace contra el resto de las paredes internas del aparato. La radiación de wifi y de telefonía sí cabe por esos agujeros, por eso suena el teléfono.

Casi todos los hornos de microondas tienen un magnetrón que emite en una frecuencia de 2.450 megahercios (MHz). El móvil que tengo actualmente trabaja con varias redes. La HSPA/WCDMA, que emite y recibe a 900 y 2.100 MHz, y la GSM/GPRS/EDGE, a frecuencias de 850, 900, 1.800 y 1.900 MHz. Ninguno de estos valores coincide con los 2.450 del microondas. O sea que la onda de la llamada puede penetrar en el horno, pero la radiación de 2.450 no puede salir, porque los materiales del horno lo impiden. Están diseñados para que así sea.

Para comprobar si la radiación de microondas se escapa, podríamos colocar un vaso de agua muy cerca del microondas y ver si este se calienta. Si no es así, el horno está perfectamente sellado.

Si la puerta tuviese un aguajero o no cerrase correctamente, la radiación de microondas podría escapar. Si la radiación de microondas te alcanzase, lo único que podría hacer sobre ti es lo mismo que consigue hacer sobre los alimentos: calentar. Es decir, que el único peligro es que, si estás muy cerca y durante el tiempo suficiente recibiendo radiación microondas, podrías quemarte. Algo parecido a si te pones delante de un horno convencional encendido y con la puerta abierta. La radiación de microondas no puede hacerte más daño que ese, porque no tiene energía para hacer nada más. Ni te harás radiactivo, ni alterará tu ADN hasta causarte un cáncer, ni nada de nada. Eso sí, ten cuidado si tienes un marcapasos, ya que sí podría interferir en su correcto funcionamiento. Para lo demás, es tan poco peligroso como un horno convencional.

PRINCIPALES FUENTES CONSULTADAS

Basulto, Julio, «El microondas, ¿perjudica a los alimentos?», en *Eroski Consumer*, 6 de mayo de 2014, <www.consumer.es/web/es/alimentacion/ aprender_a_comer_bien/curiosidades/2014/05/06/219862.php>.

Cross, Gwendolyn A.; Fung, Daniel Y. C.; y Decareau, Robert V., «The Effect of Microwaves on Nutrient Value of Foods», en *CRC, Critical Reviews in Food Science and Nutrition*, 1982, 16(4), págs. 355-381.

Ferrer, Aurora, «¿Quién inventó el microondas?», en *Quo*, 9 de mayo de 2015, <www.quo.es/ciencia/quien-invento-el-microondas>.

Gómez-Esteban González, Pedro, «Microondas: verdades y mentiras», en «El Tamiz», 1 de mayo de 2008.

Mans Teixidó, Claudi, «Teléfono al microondas», en *Investigación y Ciencia*, 8 de diciembre de 2011, <www.investigacionyciencia.es/blogs/ fisica-y-quimica/24/posts/telfono-al-microondas-10397>.

Pérez, M. E.; y Sosa Morales, M. E., «Mecanismos de transferencia de calor que ocurren en tratamientos térmicos de alimentos», en *Temas Selectos de Ingeniería de Alimentos*, 2013, 7(1), págs. 37-47.

Quirantes, Arturo, «Las radiaciones de ese móvil que lleva usted en el bolsillo», en *Naukas*, 3 de junio de 2011, <naukas.com/2011/06/03/las-radiaciones-de-ese-movil-que-lleva-usted-en-el-bolsillo/>.

Repacholi, Michael (rev.), *Campos magnéticos y cáncer: preguntas y respuestas*, Madrid, Asociación Española Contra el Cáncer, 2004.

Sarria Ruiz, Beatriz, *Efectos del tratamiento térmico de fórmulas infantiles y leche de vaca sobre la biodisponibilidad mineral y proteica*, Madrid, Universidad Complutense de Madrid, 1998.

Velasco, Álvaro, «¿Cuál es la historia del horno microondas? Inventos que nos facilitan la vida», en *Europa Press*, 19 de diciembre de 2014, <www.europapress.es/portaltic/portalgeek/noticia-cual-historia-horno-microondas-inventos-nos-facilitan-vida-20141219135123.html>.

16. Las cremas antiedad no sirven para nada
Mitos de la cosmética

Aparece en pantalla una mujer preciosa. Casi una niña. Primer plano. De frente, de lado, sonríe. Cara lavada. Es preciosa y ni siquiera parece ser consciente de ello. A veces es una actriz. A veces, nadie conocido. Pero siempre son preciosas. Les sale sin querer. Luego mencionan uno o dos tecnicismos, el nombre de un par de sustancias que suenan a ciencia. La mujer se acaricia la cara mirándote a los ojos. Es el anuncio de una crema antiedad. Quiero aplicarme ese producto y parecerme a ella, bonita sin querer. Quiero creer, pero no me lo creo. Esa mujer tiene diez años menos que yo, o más.

La publicidad de las cremas antiedad genera expectativas e incredulidad, posiblemente a partes iguales. Nos hablan de hialurónico, de retinol, de coenzimas, de vitamina C. Todo suena a ciencia y a magia. ¿Realmente sirven para algo?

CÓMO ES NUESTRA PIEL

La piel es el órgano más extenso del cuerpo. Está formada por tres capas: epidermis, dermis e hipodermis. La parte más superficial de la epidermis es el estrato córneo, formado por unas células denominadas corneocitos. Estas células son el resultado de la transformación de células vivas en células estructurales. Este proceso de transformación se denomina queratinización, ya que los orgánulos de estas células se disuelven y su interior queda lleno de queratina.

Durante el proceso de queratinización, las células exudan parte de las sustancias que dan lugar a la película hidrolipídica, que en la imagen se

corresponden con las bolas azules de la superficie. Esta película contiene, entre otras sustancias, aminoácidos, sebo, agua y ácido láctico, que confieren elasticidad, acidez y protección frente a las agresiones bacterianas.

El agua que llega hasta la superficie de la piel proviene del interior, de la dermis, y se va perdiendo por evaporación hacia el exterior. El proceso inverso no sucede, el agua no penetra más allá de la dermis. Las cremas hidratantes no aportan agua, sino que evitan que la piel la pierda. La pérdida excesiva de agua causa envejecimiento prematuro, pérdida de suavidad, firmeza y resistencia frente a agresiones ambientales, etcétera.

La epidermis está compuesta por diferentes queratinocitos. No contiene ningún vaso sanguíneo, así que consigue oxígeno y nutrientes de las capas más profundas de la piel. En la parte inferior de la epidermis existe una membrana muy fina, llamada lámina basal, cuyo componente más importante es el colágeno.

Por debajo está la dermis, compuesta principalmente por fibroblastos. Esta capa contiene vasos sanguíneos, nervios, raíces de pelo y glándulas sebáceas. Debajo de la dermis se extiende una capa grasa llamada hipodermis, que se adhiere firmemente a la dermis mediante fibras de colágeno.

Las cremas antiedad combaten varios signos del envejecimiento, no solo las arrugas. Las manchas en la piel, la falta de luminosidad, la pérdida de elasticidad o los poros abiertos son tanto o más importantes que las dichosas arrugas.

Los principios activos de las cremas antiedad palían o previenen algunos de estos signos de la edad. Muchos de ellos, citados en los anuncios de cosmética, como el retinol, el hialurónico, la vitamina C, etc., han sido científicamente probados. Esto quiere decir que sus propiedades se han medido, que se conocen sus mecanismos de acción y que, por tanto, funcionan. ¿Para qué sirve cada uno de ellos? ¿Cómo funcionan?

Echemos un vistazo a los principales componentes que encontramos en las cremas antiedad y analicemos si efectivamente funcionan y cómo lo hacen. Hay más, pero los que vamos a ver son los que, hasta la fecha, se encuentran en un mayor número de productos y han demostrado su eficacia.

Qué son y cómo funcionan los hidroxiácidos

Los más comunes son el ácido glicólico, el salicílico, el mandélico y el láctico. Durante muchos años, la función de los alfahidroxiácidos en los productos cosméticos era la de ajustar el pH. También se han utilizado para tratar la hiperqueratosis o el engrosamiento anómalo de la piel, gracias a su actividad exfoliante. Lo que hacen estos principios activos es debilitar los enlaces entre las células muertas de la piel con el resto de la epidermis. Esto acelera el proceso normal de regeneración de las células basales en la capa más profunda de la piel, haciendo que luzca más pulcra.

En los últimos años hemos descubierto que algunas de estas sustancias actúan sobre los signos de la edad. El ácido glicólico incrementa la proliferación celular y la activación funcional de los fibroblastos en la síntesis de colágeno, con lo que mejora la elasticidad y la tersura de la piel. El ácido salicílico ha demostrado ser un principio activo que, además de desobstruir los poros, mitiga las manchas e ilumina la piel.

El inconveniente de estos hidroxiácidos es que su capacidad exfoliante puede producir irritación y además es fotosensibilizante, es decir, que provoca que la piel sea más sensible a los daños de la radiación solar. Por este motivo, encontramos alfahidroxiácidos en cremas antiedad de noche o en cremas de día con un elevado índice de protección solar.

Qué es y cómo funciona el ácido hialurónico

Esta sustancia se encuentra de forma natural en el cuerpo, en las articulaciones, en los cartílagos y en la piel. Cumple una función estructural, y, en el caso de la piel, su escasez se percibe como pérdida de firmeza. Con el paso de los años, su proporción va disminuyendo. Por eso es importante ayudar a nuestro cuerpo a mantenerlo y a regenerarlo. En contra de lo que pueda parecer, el ácido hialurónico que aplicamos sobre nuestra piel no penetra ni suple las deficiencias; su presencia en las cremas antiedad atiende a otros aspectos.

153

Existen dos tipos de ácido hialurónico, el de alto peso molecular (APM) y el de bajo peso molecular (BPM). El APM está formado por agregados de moléculas de gran tamaño, por lo que su absorción por los poros de la piel no es posible y, por tanto, no se puede utilizar como rellenador de arrugas. Como la piel no lo puede absorber, lo que ocurre es que se queda en el exterior de la zona tratada formando una película que retiene el agua. Esta es su propiedad más codiciada, que es capaz de absorber mil veces su peso en agua, lo que se traduce en un increíble poder hidratante.

El BPM, también denominado ácido hialurónico fragmentado o hidrolizado, forma agregados moleculares de pequeño tamaño, capaces de penetrar hasta la dermis, captar agua y producir un efecto de relleno que atenúa las arrugas y mantiene la hidratación durante más tiempo. A medio plazo se ha comprobado que estimula la formación de más hialurónico. El BMP es el hialurónico más novedoso y también el más costoso de producir, por eso lo encontramos en productos de gama media-alta, especialmente en formato sérum, mientras que el APM suele formar parte de cremas y geles más económicos.

Qué son y cómo funcionan las vitaminas sobre la piel

Una de las causas del envejecimiento de la piel es la formación de radicales libres por estrés oxidativo de las células, un proceso que se acelera en presencia de radiación solar. Esto hace que se pierda elasticidad porque se destruyen la elastina y el colágeno. Para paliar la oxidación, las cremas antiedad contienen antioxidantes como algunas vitaminas. Normalmente estos antioxidantes son derivados de la vitamina C y la vitamina E con capacidad de penetración en la piel, como los ascorbatos y los acetatos respectivamente.

La vitamina C es hidrosoluble, por eso la encontramos en cremas *oil-free*, especialmente diseñadas para pieles grasas, con tendencia acneica, y en cremas para hombres. Para que sea efectiva a nivel tópico debe estar en una concentración mínima del 5%. Una de sus virtudes es que dinamiza la producción de colágeno y aclara las manchas.

154

Los derivados de la vitamina C se oxidan con facilidad y pierden efectividad, por eso el envase es muy importante: formatos *airless* en tubo o con dosificador, nunca en tarro, ya que en contacto con el aire se degradan. Todo esto provoca que el producto cosmético se encarezca; por eso no encontramos derivados de la vitamina C en productos de gama baja.

El otro antioxidante habitual es el derivado de la vitamina E, el tocoferol. Al contrario que la vitamina C, es liposoluble, por lo que lo encontramos en fórmulas untuosas, y es más fácil conservarlo. Se suele asociar a la vitamina C para conseguir un mayor efecto. Posee acción hidratante sobre la piel, mejorando el aspecto de las pieles maduras. Además, previene la formación de eritemas y quemaduras durante la exposición solar, reduciendo el proceso inflamatorio y el incremento de la permeabilidad vascular. Debido a su acción calmante, se utiliza con frecuencia en productos para después del sol. Asimismo, complementa la acción de los filtros de protección solar, de tal forma que ayudan a retrasar el envejecimiento prematuro producido por las radiaciones solares.

Otro antioxidante, más asequible que las vitaminas C y E, es el derivado de la coenzima Q10, el ubiquinol. Previene el estrés oxidativo y frena la destrucción del colágeno provocada por la radiación solar.

Otra vitamina común en estas cremas es la niacinamida o vitamina B3, que inhibe la acción de la tirosinasa, la enzima necesaria para la síntesis de la melanina. Si no se metaboliza, no se produce la mancha.

Qué son y cómo funcionan los retinoides sobre la piel

Los retinoides son derivados del ácido retinoico o vitamina A. En las cremas los encontramos como retinol y como retinaldehído. Previenen el envejecimiento de la piel desde varios frentes. Es, posiblemente, el principio activo más prometedor de las cremas antiedad. A nivel de la epidermis reduce la cohesión de las células muertas, disminuye la actividad de los melanocitos, por lo que reduce las hiper-

155

pigmentaciones y estimula la cicatrización al promover el crecimiento de los tejidos y la síntesis de colágeno. A nivel de la dermis estimula la actividad de los fibroblastos, aumentando así la síntesis de colágeno y elastina. El conjunto de estas acciones se traduce en que difumina las líneas de expresión, reduce los poros, incrementa la elasticidad, previene y reduce las manchas y mejora el tono de la piel.

Para qué sirven los ácidos grasos de las cremas

Los ácidos grasos esenciales se llaman así, esenciales, porque nuestro organismo no puede sintetizarlos, solo metabolizarlos, por ello deben aportarse. Existen dos familias: los omega 3, presentes sobre todo en los aceites de pescado, de los que el principal es el ácido alfa linolénico, y los omega 6, abundantes en los aceites vegetales, de los cuales el más importante es el ácido linoleico. Ambos son antioxidantes y contribuyen notablemente a la regeneración celular. Sus propiedades son conocidas por ser precursoras de las prostaglandinas y los leucotrienos. Las prostaglandinas controlan y regulan la secreción de las glándulas sebáceas y retrasan la aparición de arrugas. Los leucotrienos forman parte de las membranas celulares y aumentan la capacidad de retención de agua. Un déficit metabólico de ácidos grasos produce unos signos cutáneos bien identificados, como pérdida de flexibilidad y elasticidad de la piel, xerosis y descamación, cuya corrección es posible mediante la aplicación tópica. Se han demostrado otras funciones, como la formación de los fosfolípidos de las membranas y la regulación de la permeabilidad de la piel. Desarrollan un papel importante en la hidratación y en el mantenimiento de la integridad de la barrera cutánea.

Para qué sirven los filtros solares de las cremas antiedad

Los filtros solares son los ingredientes estrella de cualquier producto cosmético antiedad. No pueden faltar. La radiación solar, especialmente la radiación ultravioleta, es el mayor enemigo de nuestra piel. No solo produce quemaduras y aumenta el riesgo de cáncer, sino que además es el principal factor que provoca la aparición de manchas, la destrucción del colágeno y la elastina, la aparición y acentuación de arrugas. Es decir, además del paso del tiempo, la radiación ultravioleta es responsable de todos los signos de la edad. Po este motivo, la mejor crema antiedad es aquella que tiene protección solar; cuanto mayor factor de protección solar (SPF), mejor.

En ellas encontramos tanto filtros físicos como filtros químicos. Los primeros reflejan la radiación ultravioleta, como un espejo, y los segundos transforman la radiación ultravioleta en radiación inocua. Los físicos son menos cosméticos que los químicos, ya que dejan un rastro blanco, así que lo habitual es encontrarse filtros químicos, o una combinación de ambos, en las cremas de gama media-alta.

Que la mejor crema antiedad sea una que contenga protección solar no significa que la mejor crema antiedad sea una crema solar. Las cremas solares que utilizamos para ir a la playa no suelen contener ninguno de los demás principios activos. De hecho, lo más importante de todo es que las cremas solares suelen ser deshidratantes (en el caso de que solo lleven filtros físicos) o, al menos, escasamente hidratantes. La hidratación es otro factor antienvejecimiento fundamental. Tampoco tienen la misma fórmula las cremas solares de cuerpo que las de rostro. Las de cuerpo pueden resultar comedogénicas (obstruyen los poros) y demasiado untuosas para la cara. De ahí que las cremas antiedad de cara sean diferentes y más complejas que las cremas solares que utilizamos para ir a la playa.

Conclusión

Las cremas antiedad mantienen la piel hidratada, libre de células muertas y de radicales libres y, sobre todo, protegida de la radiación solar. Para lograrlo es necesaria una combinación de diferentes principios activos, como hidroxiácidos, vitaminas, ácido hialurónico, retinoides, ácidos grasos y filtros solares. Gracias a la investigación científica sabemos no solo que funcionan, sino también cómo lo hacen.

La desconfianza que algunas personas tienen en la cosmética se debe en parte al desconocimiento de estas investigaciones, a la incredulidad sobre sus resultados, a una publicidad a veces demasiado pomposa que genera unas expectativas difíciles de satisfacer. Una crema antiedad difícilmente va a convertirte en una joven de veinte años como la del anuncio.

En la mayoría de los cosméticos antiedad encontramos varios de los principios activos antes citados. Pero no los encontramos todos en un único producto, ya que algunos de estos activos compiten entre sí y no se pueden formular juntos. A esto hay que sumarle que las expectativas son diferentes en cada caso. No es lo mismo una piel de treinta y cinco años que una de sesenta. Ni la piel de un hombre que la de una mujer. Ni una piel que ha sido maltratada por el sol que otra que no lo ha sido. Ni una piel con arrugas y manchas ya marcadas o una que solo las tiene incipientes. Igual que no es lo mismo una piel seca que una piel grasa.

Hay que tener en cuenta que los resultados difieren entre unas personas y otras por estos y otros muchos factores, así que hay que mantener unas expectativas realistas. Estos principios activos funcionan difuminando los signos de la edad y, sobre todo y más importante, los previenen. Contra los signos de la edad, mejor prevenir que curar.

Las concentraciones de cada principio activo varían y se combinan en una fórmula que se adapta a diferentes tipos de piel y a diferentes bolsillos. Unos principios activos son más costosos que otros, por sí mismos y por las implicaciones que tienen sobre la fabricación y conservación del producto final. Unos requieren bases ricas y otros bases ligeras para ser realmente eficaces.

Hay muchas razones por las que no existe una crema antiedad que sea mejor a todas las demás, sino que en el mercado conviven una gran variedad de buenas cremas antiedad. Eso sí, las mejores se fundamentan en principios activos de probada eficacia.

Es imposible ponerse de acuerdo sobre cuál es la mejor crema antiedad porque no existe la mejor crema antiedad universal, que satisfaga por igual todos los casos posibles. La que para mí es la mejor crema antiedad, por mi tipo de piel y mi estilo de vida, quizá para ti no lo sea, por más ingredientes que coincidan con los citados. Para averiguar cuál es tu mejor crema antiedad, acude a tu dermatólogo, a tu farmacéutico o a tu dermoconsejero. Cuanto mejor conozcas tu piel y tus necesidades, mejores opciones van a ofrecerte. Seguro que entre sus ingredientes encuentras alguno de los seis principios activos citados que, según la ciencia, funcionan.

A veces la publicidad sugiere resultados exagerados e inalcanzables. Eso no significa, ni mucho menos, que no funcionen. Las cremas antiedad funcionan, pero menos de lo que nos gustaría.

Principales fuentes consultadas

Bernstein, E. F.; Lee, J.; Brown, D. B.; Yu, R.; Scott, E. Van, «Glycolic Acid Treatment Increases Type I Collagen mRNA and Hyaluronic Acid Content of Human Skin», en *Dermatologic Surgery*, mayo de 2001, 27(5), págs. 429-433.

Díez Sales, Octavio; Copoví, Alfonso; y Herráez, Marina, «Efecto de los alfahidroxiácidos en la permeabilidad de la epidermis humana in vitro», en Biofarmacia y Farmacocinética, 345, s.f., <http://www.sefig.com/doc/Congreso%20Granada/008_BF.pdf>.

Essendoubi, M.; Gobinet, C.; Reynaud, R., Angiboust, J. F.; Manfait, M.; y Piot, O., «Skin Human Skin Penetration of Hyaluronic Acid of Different Molecular Weights As Probed by Raman Spectroscopy», en *Skin Research and Technology*, febrero de 2016; 22(1), págs. 55-62.

García Bello, Deborah, «¿Cómo funciona tu crema solar?», en <Dimetilsulfuro.es>, 27 de mayo de 2015, <http://dimetilsulfuro.es/2015/05/27/solares-con-filtros-quimicos-o-fisicos/>.

Hoppe, U.; *et al.*, «Coenzyme Q 10, a Cutaneous Antioxidant and Energizer», en *Journal Biofactors*, 1999, 9(2-4), págs. 371-378.

Humbert, Philippe G.; *et al.*, «Topical Ascorbic Acid on Photoaged Skin. Clinical, Topographical and Ultrastructural Evaluation: Double-Blind Study vs. Placebo», en *Experimental Dermatology*, junio de 2003, 12(3), págs. 237-244.

Leveque, Jean L.; y Saint Leger, Didier, *Use of Salicylic Derivatives for the Treatment of Skin Aging*, Patent US 5262407 A, 1993.

Pocos, J.; Cox, S. E.; Paradkar-Mitragotri, D.; Murphy, D. K., «A Multicenter, Single-Blind Randomized, Controlled Study of a Volumizing Hyaluronic Acid Filler for Midface Volume Deficit: Patient-Reported Outcomes at 2 Years», en *Aesthetic Surgery Journal*, julio de 2015, 35(5), págs. 589-599.

Reza Kafi, M. D.; *et al.*, «Improvement of Naturally Aged Skin With Vitamin A (Retinol)», en *Archives of Dermatology*, 2007, 143(5), págs. 606-612.

17. Terapias alternativas que curan el cáncer
Mitos de la medicina

En enero de 2014, a Mario le diagnosticaron leucemia en el hospital Arnau de Valencia. El tratamiento médico consistía en un trasplante de médula ósea y quimioterapia. Solo tenía veintiún años cuando le detectaron la enfermedad. Mario, estudiante de Física, decidió no operarse, abandonar la quimioterapia y apostar por las terapias alternativas. Seis meses después, Mario falleció. Su padre, Julián, lucha por que se haga justicia.

¿Las terapias alternativas apoyan las terapias médicas?

Mario empezó con la quimio, pero al segundo día, y animado por un familiar usuario de terapias alternativas, acudió a un curandero que se hacía llamar «especialista en medicina que aborda el cáncer». Sus padres creyeron que era médico; de hecho, él era el presidente de la Sociedad Española de Nutrición Ortomolecular. Comenzó a recetarle unas píldoras para paliar los efectos secundarios de la quimio. Julián asegura que el curandero le animó a dejar el tratamiento médico y a centrarse en la terapia ortomolecular. Esta terapia consistía en consumir preparados ricos en vitaminas, a base de hongos y vegetales. Mario confiaba en las palabras de este curandero. Ni su padre, Julián, ni los miembros de la Asociación Contra la Leucemia y Enfermedades de la Sangre (ASCOL) consiguieron hacerle cambiar de opinión.

El tratamiento ortomolecular, que decía ser contra el cáncer, interfería en la recuperación de Mario. Contenía elementos contraproducentes, como hongos o alcohol. Además, el curandero imponía su autorización y visto bueno a los pasos del tratamiento médico auténtico que precisaba Mario por su leucemia, pautando personalmente el programa de su tratamiento y ajustándole la medicación, desplegando una praxis propia de un médico.

Julián, el padre de Mario, creía que el curandero era médico de verdad, pero cuando Mario murió acudió personalmente al Colegio de Médicos de Valencia con la intención de presentar una denuncia contra ese individuo. En ese momento descubrió que ni siquiera tenía el título de médico. Ese día fue consciente de que se tenía que hacer justicia para honrar la memoria de su hijo y no dejar que nadie más cayera en las manos de los curanderos.

Este caso sirve de ejemplo de cómo las terapias alternativas interfieren en los tratamientos convencionales. En algunos casos, las medicinas alternativas que administran compiten con las medicinas convencionales, y anulan parcialmente el tratamiento. En otros casos, la terapia alternativa termina por desplazar totalmente la terapia convencional. Un paciente asustado necesita creer que puede suceder el milagro. Los curanderos aprovechan el miedo para inocularles esperanza, con frecuencia en consultas más largas y tranquilizadoras en las que convencen al paciente y se ganan su confianza.

Las terapias alternativas aumentan hasta un 470 % el riesgo de muerte en pacientes de cáncer

Medicina ortomolecular, medicina ayurvédica, medicina tradicional china, homeopatía, naturopatía, respiración profunda, yoga, taichí, *chi kung*, acupuntura, quiropráctica, osteopatía, meditación, dietas alcalinas…; hay todo un elenco de terapias con las que algunos aseguran poder curar el cáncer.

En 2017, el oncólogo estadounidense Skyler Johnson y su equipo publicaron un rotundo estudio en la revista especializada *Journal of the National Cancer Institute* que puso los datos sobre la mesa. Podemos especular sobre las interferencias entre las terapias alternativas y las médicas, o sobre las sugerencias que los curanderos hacen a los pacientes animándoles a abandonar la medicina, pero hasta este estudio no teníamos los datos, no sabíamos hasta qué punto las terapias alternativas se han cobrado la vida de enfermos de cáncer. Enfermos con posibilidad de cura que fueron engañados hasta morir.

El equipo de Skyler Johnson comparó los casos de 281 personas con cáncer que optaron por pseudotratamientos y las historias de 560 pacientes que sí confiaron en las armas de la medicina real: quimioterapia, radioterapia, cirugía y terapia hormonal. Los resultados ponen los pelos de punta. Las mujeres con cáncer de mama que se abrazaron a la medicina alternativa aumentaron su riesgo de muerte un 470%. Los pacientes de cáncer colorrectal compraron un 360% más de papeletas para morir al creer a ciegas en las prácticas pseudomédicas. Y los de cáncer de pulmón, con peor pronóstico en general, un 150%.

El estudio de Johnson y sus colegas es inusual, debido a la dificultad de acceder a datos fiables y a las reticencias de los pacientes a reconocer su adhesión a pseudomedicinas. Los científicos de Yale han sorteado estos obstáculos exprimiendo la Base de Datos Nacional del Cáncer de Estados Unidos, identificando 281 casos de pseudoterapias entre 2004 y 2013. Para comparar, los investigadores buscaron dos pacientes de medicina auténtica por cada uno de medicinas alternativas. Los pacientes debían ser similares en cuanto a edad, tipo de cáncer, fase, estado de salud previo y seguro médico.

El equipo de Yale ha estudiado los cuatro tipos de cáncer más habituales en Estados Unidos: mama, próstata, pulmón y colorrectal. En el caso del tumor de próstata, las diferencias no son muy significativas. Esto es así porque muchos cánceres de próstata se diagnostican en período asintomático, y muchos son poco agresivos y a lo mejor no precisan ningún tratamiento. En los tumores que sí son muy curables con terapias convencionales, como el cáncer colorrectal y el de mama, el riesgo de muerte se multiplica por cinco y seis con terapias alternativas.

Las terapias alternativas salen caras

Julián calcula que el curandero les estafó a él y a su familia más de cinco mil euros después de seis meses de tratamiento fallido, basado en la medicina ortomolecular, una pseudociencia que carece de fundamento para curar enfermedades y que creyeron, erróneamente, era una práctica médica habitual.

Julián fundó una asociación para proteger al enfermo de terapias pseudocientíficas, desde donde peleó con ayuda de divulgadores, activistas y especialistas contra la difusión de mensajes contrarios a la ciencia médica. Al mismo tiempo acudió a la justicia, acusando al curandero de intrusismo profesional y estafa.

Cuando a Julián se le pregunta por la raíz de este problema, lo tiene claro: «Hay más de cuarenta mil centros sanitarios que imparten pseudociencias. La sociedad está infectada de brujería moderna porque las autoridades no hacen nada. Saben perfectamente cuál es el problema».

Las terapias alternativas matan

Los defensores de la medicina alternativa a menudo preguntan inocentemente: «¿Qué daño hay en probar?». Los estudios dejan claro que para los pacientes con cáncer que optan por el tratamiento con una medicina alternativa, el daño es la misma muerte. La medicina alternativa no los está matando literalmente, pero está provocando que los pacientes se alejen de los tratamientos efectivos basados en la evidencia científica, que sí pueden salvar vidas.

Conclusión

Una semana antes de que la leucemia venciera a Mario, este fue consciente del error que había cometido dejándose aconsejar por alguien que se autodenominaba médico. Su padre recuerda las cuatro palabras que su hijo le dijo antes de morir: «Papá, me he equivocado».

«Él creía que ese individuo era médico y que lo iba a curar a través de un tratamiento naturista; así se lo manifestó y se lo hizo creer. Él no se equivocó. A él le engañaron», dice su padre.

PRINCIPALES FUENTES CONSULTADAS

Ansede, Manuel, «Las medicinas alternativas aumentan hasta un 470 % el riesgo de muerte en pacientes de cáncer», en *El País*, 30 de agosto de 2017.

Arroyo, Jesús, «Mi hijo murió por culpa de la pseudociencia», en *La Revista de Redacción Médica*, 15 de abril de 2017.

Johnson, Skyler B.; Park, Henry S.; Gross, Cary P.; y Yu, James B., «Use of Alternative Medicine for Cancer and Its Impact on Survival», en *Journal of the National Cancer Institute*, 1 de enero de 2018, 110(1), <https://doi.org/10.1093/jnci/djx145>.

Romero, Sara, «Las terapias alternativas para el cáncer duplican el riesgo de muerte», en *Muy Interesante*, 17 de agosto de 2017.

Salas, Javier, «Juicio contra el curandero del joven que murió tras abandonar la quimio», en *El País*, 9 de marzo de 2017.

—, «A mi hijo lo ha matado la incultura científica», en *El País*, 26 de febrero de 2016.

18. El azúcar moreno es más sano que el azúcar blanco
Mitos de la salud

Una lata de refresco contiene entre veinticinco y setenta y cinco gramos de azúcar, el equivalente a entre cinco y quince sobres de azúcar. Esto no es un mito, esto es información. No tienes más que revisar la lista de ingredientes de cualquier refresco y comprobarlo tú mismo.

Los veinticinco gramos corresponden a un refresco azucarado normal, ya sea de cola, de naranja, de limón, con o sin gas. Y los setenta y cinco gramos corresponden a las llamadas bebidas energéticas.

La recomendación de la OMS de reducir la ingesta de azúcares libres se fundamenta en la probada relación entre el consumo de estos azúcares y la mayor incidencia de enfermedades como la obesidad y la diabetes tipo II. Nos aconsejan que, de media, tomemos como máximo veinticinco gramos de azúcar. Es decir, que con un refresco que tomemos al día ya hemos llenado el cupo.

Por ese motivo, algunas personas han optado por no consumir este tipo de bebidas o pasarse a su versión sin azúcar. Son decisiones inteligentes. Sin embargo, encontramos este tipo de bebidas en los lugares más insospechados, y destinadas al consumo del público más sensible, desde colegios a centros de salud. ¿Cómo controlas que tus hijos no se atiborren de azúcar en su centro escolar? En casa no toman azúcar y, si lo hacen, muchas personas optan por buscar sustitutos más saludables; no siempre con acierto, pero el caso es que intentan alimentarse mejor.

Puedes no dar dinero a tus hijos para que no lo malgasten en las máquinas de *vending* del colegio o en la cafetería del centro. Puedes pedirles que beban agua. Puedes hacer que lleven el tentempié del recreo preparado de casa. Hay varias formas de cuidar lo que comen, no siempre aplicables y no siempre efectivas, pero la intención es buena.

Además, en casa no tomáis azúcar. El azúcar refinado se ha ido petrificando en la alacena. Bien hecho. En cambio, lo habéis sustituido por miel, sirope de agave o azúcar moreno, que es el más glamuroso de todos. Siento deciros que estáis intentando hacer las cosas bien, pero de forma equivocada.

¿Cuánto azúcar libre deberíamos consumir?

La recomendación de la OMS es reducir el consumo de azúcar libre lo máximo posible. Como orientación nos dicen que como mucho deberíamos consumir veinticinco gramos diarios (exactamente el 5 % de las calorías diarias consumidas).

El azúcar libre al que se refiere la OMS y por el que debemos preocuparnos no es solo el azúcar que añadimos al café, a las infusiones o los bizcochos que hacemos en casa, sino que abarca otros tipos de azúcar y ciertos alimentos que lo contienen en su composición. La razón de tener en cuenta diferentes edulcorantes y alimentos con azúcar añadido es que metabólicamente son muy similares, con lo que son igualmente responsables de los daños a la salud que produce el azúcar de mesa común.

Se considera azúcar libre los siguientes edulcorantes: el azúcar refinado, el azúcar moreno (sea del tipo que sea, incluida la panela), la miel, los zumos y los siropes. También es azúcar libre cualquiera de estos edulcorantes si forman parte de un alimento manufacturado, por lo que habrá que buscarlos entre la lista de ingredientes.

¿Hay alimentos con azúcar oculto?

Cuando coloquialmente hablamos de *azúcar* en realidad nos referimos a una sustancia en concreto: la sacarosa. La sacarosa es el azúcar de mesa, el de los terrones.

168

En rigor, existen varios azúcares, como la lactosa (leche), la fructosa (frutas y miel), la maltosa (cerveza), la sacarosa (azúcar de mesa), etc. Todos ellos son hidratos de carbono. Como metabolizamos unos y otros de forma diferente, es bueno tener en cuenta que existen diferentes azúcares a la hora de interpretar correctamente la información del etiquetado de los alimentos.

En la etiqueta de un alimento figuran dos datos: la *información nutricional* y la *lista de ingredientes.*

Para saber si un alimento contiene azúcar añadido y cuánto, hay que mirar la etiqueta y hacerlo en un orden concreto: primero buscamos la palabra *azúcar* entre la lista de ingredientes. Si no aparece esa palabra, quiere decir que el alimento no contiene azúcar libre. Si aparece la palabra *azúcar* entre la lista de ingredientes y queremos saber cuánto azúcar hay, nos tendremos que fijar en la información nutricional.

Cuando nos fijamos en la *información nutricional* de un alimento, se nos indica qué hidratos de carbono son azúcares, y ahí no se hace distinción entre lactosa, sacarosa, fructosa, etc., sino que se suman todos ellos. Ahí podemos ver cuántos gramos de azúcares contiene (normalmente por cada cien gramos de producto).

Por ejemplo, si buscamos si un cacao soluble contiene azúcar y cuánto contiene, primero revisamos la lista de ingredientes en busca de la palabra *azúcar.* Una vez que la encontremos, nos vamos a la información nutricional y vemos cuántos gramos hay. En el caso de los cacaos solubles quizá nos llevemos una sorpresa. La mayoría de ellos contienen unos setenta gramos de azúcar por cada cien gramos de producto. Es casi todo azúcar.

Esto también lo podemos hacer con otros alimentos que no son dulces, ya que algunos contienen azúcar para mejorar el sabor y la textura. Pasa con algunas salsas y platos precocinados.

Es muy importante que revisemos la etiqueta en este orden: primero los ingredientes y después la información nutricional. Porque si solo nos fijamos en la información nutricional podemos confundir unos azúcares con otros.

Un ejemplo de esta confusión. Un día estaba yo en la sección de yogures del supermercado y una señora me dice: «Nena, ¿me puedes mirar si estos yogures llevan azúcar? El médico me ha dicho que los compre sin azúcar y no encuentro ninguno». La señora me enseña la tabla nutricional del yogur natural que ha cogido y señala los azúcares: 5,3 gramos por cada cien gramos de producto. Le digo que ese azúcar no es el azúcar al que se refiere su médico, que ese azúcar es el que contiene la leche del yogur y es distinto al azúcar común. Le digo que mire en la lista de ingredientes del yogur, y, si en esa lista no está el azúcar, puede estar tranquila. Le señalo la lista de ingredientes: leche desnatada y fermentos lácticos. «¿Ve? No aparece el azúcar, este es un yogur natural desnatado, sin azúcar añadido», le digo. «Podrían ponerlo más claro», me dice. Le doy la razón.

Por eso un yogur natural sin azúcar puede tener 5,3 gramos de azúcares, porque esa cantidad se corresponde con la lactosa de la leche, no con el azúcar común añadido para endulzar. En cambio, en la *lista de ingredientes* sí se especifica si el alimento lleva azúcar añadido, ya que figuraría como un ingrediente más. Por eso, para saber si un alimento lleva azúcar añadido, hay que fijarse en la lista de ingredientes.

La lista de ingredientes y la información nutricional son algo que está regulado, así que ahí no se puede mentir. Si un producto dice no contener azúcar, es que no lo contiene. No hay trampa posible.

De la misma manera, cuando un producto dice ser «sin azúcar» es que no lleva azúcar. De hecho, el eslogan «sin azúcar» es un indicativo muy útil para personas con diabetes.

Insinuar que existen ingredientes ocultos en los alimentos es sembrar la desconfianza y promover el desconocimiento de los consumidores; es la manida, populista y reprochable estrategia del miedo.

Cuando los consumidores leemos «sin azúcar» en la etiqueta de un producto y nos cuestionamos si es verdad, esta sospecha se debe principalmente a dos motivos: uno es que cierta publicidad de la industria alimentaria es intencionadamente ambigua, y eso ha suscitado desconfianza en el sector, y el otro motivo es que se abusa de la embaucadora estrategia de la sospecha sistemática, del «Que no te engañen». No, no hay engaño posible en la lista de ingredientes y en la información nutricional de los alimentos. Esta información es cierta y se verifica. No existe el azúcar oculto en los alimentos, aparece bien claro en la lista de ingredientes, por ley.

El azúcar produce obesidad

En 2015 se publicó un estudio en el que se analizó el aumento del suministro de energía alimentaria y la obesidad en sesenta y nueve países (veinticuatro de ingresos altos, veintisiete de ingresos medios y dieciocho de ingresos bajos), y se llegó a la conclusión de que tanto el peso corporal como el suministro de energía alimentaria habían crecido en cincuenta y seis de ellos entre 1971 y 2010. En cuarenta y cinco países, el crecimiento en calorías disponibles era más que suficiente para explicar el simultáneo aumento del peso corporal.

Aunque sabemos que existen otros factores que también contribuyen a la epidemia de obesidad global y que han variado durante estas décadas, como por ejemplo un aumento de la población, la dependencia del coche y los trabajos sedentarios, este estudio muestra que el exceso de oferta de alimentos hipercalóricos ricos en azúcares es el probable causante del consumo excesivo de esas calorías, y puede explicar con facilidad el aumento de peso que se ve en la mayoría de los países.

El crecimiento medio en el suministro de energía alimentaria —las calorías que se consumen— era diferente según el país, y algunos de estos niveles eran sorprendentemente altos. Por ejemplo, el suministro de energía alimentaria en Canadá creció en 559 calorías por persona y día entre 1971 y 2008. En Estados Unidos y Fiji era de 768 y 550 calorías en un período similar.

El crecimiento del consumo de calorías sobrepasaba por mucho lo que se necesitaba para explicar la subida de peso experimentada en cada país, lo que hacía suponer que parte de esa comida no se llegaba a consumir y que por eso los desechos de comida también habían aumentado de forma sustancial.

Durante décadas, una gran parte del aumento en calorías disponibles ha provenido de los productos alimenticios ultraprocesados, que son muy apetecibles, relativamente baratos y publicitados, lo que hace que el consumo excesivo de calorías sea algo muy sencillo.

En el estudio se compararon datos del suministro de energía alimentaria y el peso corporal medio de un adulto en sesenta y nueve países de la base de datos de la Organización de Naciones Unidas para la Alimentación y la Agricultura (FAO, por sus siglas en inglés) y otras bases de datos, incluida la de la OMS en relación con el índice de masa corporal (IMC) entre 1971 y 2010. Entre 1980 y 2013, la proporción global de adultos con sobrepeso aumentó de 28,8 % a 36,9 % en hombres, y de 29,8 % a 38 % en mujeres.

El azúcar común es sacarosa

El azúcar de cualquier tipo, sea blanco o moreno, está constituido principalmente por una sustancia denominada sacarosa. La sacarosa se extrae de dos fuentes: la remolacha azucarera o la caña de azúcar. En los climas cálidos se opta por la caña y en los climas templados por la remolacha. En el sudeste asiático, donde ya se utilizaba azúcar desde hace miles de años, se extrae de la caña; pero en España, por razones climáticas, se obtiene de la remolacha.

En la legislación podemos distinguir dos grandes grupos atendiendo a su composición: azúcar blanco y azúcar moreno. La distinción esencial se hace en función de la cantidad de sacarosa que contienen. El azúcar moreno tiene una pureza media del 85 %, y el blanco, del 95 %. Las denominaciones *azúcar natural* o *azúcar integral* no están recogidas en la legislación, sino que se trata de denominaciones coloquiales o publicitarias para denominar al azúcar moreno.

Existen otras denominaciones para el azúcar que hacen referencia a la presentación del producto, además de a su composición. Por ejemplo, el azúcar candi, que está tan de moda, se presenta en forma de bloques amorfos. Se hace alargando el proceso de cristalización, añadiendo agua y prensándolo en moldes. Puede estar hecho con azúcar blanco o con azúcar moreno. En cambio, el azúcar glas, que se presenta como azúcar en polvo, de grano muy fino y de color blanco, se hace exclusivamente con azúcar blanco molido.

Cómo se produce el azúcar blanco

El proceso de producción de cualquier tipo de azúcar, sea blanco, moreno o de cualquier otra denominación, es el mismo en todas las etapas, y solo difiere ligeramente en la última. El proceso es bastante complejo, pero podemos simplificarlo.

Se lava y se trocea la caña o la remolacha y se hace un proceso análogo a una infusión en agua, de forma que se extrae un jugo dulce. Ese jugo contiene una gran cantidad de sacarosa, pero también va acompañado de otras sustancias indeseables que podrían estropearla. Estas sustancias se eliminan añadiendo otros compuestos, con los que se combinan fácilmente y que terminan depositándose en el fondo del jugo, por lo que se pueden extraer por decantación y filtrado. Gracias a este proceso de separación también se inhibe el crecimiento de bacterias.

Así llegamos a una disolución que es básicamente agua con sacarosa. El agua se evapora —de ahí que las fábricas de azúcar estén envueltas en grandes nubes de vapor de agua— hasta llegar a una disolución saturada. En este punto es donde la sacarosa empieza a formar cristales. Hay una pequeña parte de sacarosa que, por su contenido en agua e impurezas, no llega a cristalizar. Parte de esta sacarosa carameliza hasta volverse amarga y adquirir un color parduzco. Esta fracción es la melaza.

Esta última parte del proceso se repite hasta lograr una separación óptima entre la sacarosa cristalizada y la melaza. La melaza se emplea, entre otras cosas, para producir alcohol etílico.

Cómo se produce el azúcar moreno

El azúcar moreno se produce de la misma manera que el azúcar blanco, salvo en la etapa final en la que se separa la sacarosa de la melaza. En el azúcar moreno se conserva parte de la melaza. Según la cantidad de melaza que se conserve y la forma de presentación del producto final, podemos distinguir varios tipos: mascabado, turbinado, demerara, etc. La presencia de más o menos melaza es la responsable de las apreciables diferencias en el aroma y el sabor de los distintos tipos de azúcar moreno. Como la melaza es de color pardo, es la responsable del teñido del azúcar moreno.

Hay dos maneras de producir azúcar moreno: mezclando azúcar blanco con melaza hasta llegar a la proporción deseada, o bien no separar totalmente la sacarosa de la melaza en la última etapa de la producción. Con el modo de mezcla se controlan mejor las proporciones y se reducen costes, ya que es más sencillo fabricar varios tipos de azúcar moreno ajustando las mezclas.

No es cierto que se empleen colorantes para teñir el azúcar, ya que esto no está legalmente permitido. En todos los tipos de azúcar moreno, el color pardo se debe a la melaza. Cuando disolvemos azúcar moreno y este pierde su color superficial revelando que el interior se asemeja al azúcar blanco es debido a que es un azúcar moreno producido por mezcla.

¿Existen diferencias nutricionales entre el azúcar moreno y el azúcar blanco?

Tanto el azúcar blanco como el azúcar moreno aportan cuatro kilocalorías por gramo. Estas calorías se denominan *calorías vacías* porque aportan energía, pero no tienen valor desde el punto de vista nutricional. Ambos tipos de azúcar son, esencialmente, sacarosa con una pureza del 85 % o más. El pequeño porcentaje restante, que es melaza y agua, contiene una insignificante cantidad de minerales y vitaminas.

La presencia de vitaminas y minerales que porta la melaza del azúcar moreno es lo que suele usarse como razón para sustituir un azúcar por otro. Pero esta razón no es relevante desde el punto de vista nutricional: la cantidad de minerales o vitaminas que se encuentran en el azúcar moreno es tan baja que, para alcanzar un nivel simbólico para el organismo, habría que consumir mucho más azúcar del recomendado, así que lo que se presenta como virtud realmente enmascara el verdadero problema: el consumo excesivo de azúcar libre.

La OMS recomienda no consumir más de veinticinco gramos de

azúcar libre al día. Tanto el azúcar blanco como el azúcar moreno son azúcar libre.

También hay que tener en cuenta que el azúcar moreno, por su contenido en melaza, que es amarga, tiene un poder edulcorante menor que el azúcar blanco, con lo que resulta tentador utilizar más cantidad para llegar al mismo dulzor. Si a esto le sumamos la errónea convicción de que es más saludable, a muchos no les temblará el pulso y utilizarán más azúcar moreno del que añadirían si se tratase de azúcar blanco.

De qué está hecha la miel

Las abejas recolectan el néctar de las flores (miel de flores) o las secreciones de partes vivas de plantas o excreciones de insectos chupadores de plantas (rocío de miel), lo transforman gracias a la enzima invertasa que contienen en la saliva y lo almacenan en los panales, donde madura hasta convertirse en miel.

El azúcar blanco y el azúcar moreno son sacarosa al 85%-100%. La miel contiene en un 70%-80% fructosa y glucosa —los monosacáridos que conforman la sacarosa—. En todos los tipos de miel, los azúcares conforman más de 85% de su composición.

Con respecto al aporte calórico, el azúcar tiene cuatro kilocalorías por gramo, mientras que la miel tiene unas tres kilocalorías por gramo. Esta disminución se debe al agua que contiene.

El índice glucémico (IG) de un alimento es otro valor para tener en cuenta. El IG determina la velocidad con la que un alimento hace aumentar los niveles de glucosa en sangre, de modo que los alimentos de alto IG se restringen en dietas para diabéticos o propensos a padecer diabetes. También reducen la saciedad, por lo que se suelen desaconsejar en dietas para perder peso. La miel tiene un IG de 60-65. El azúcar común tiene un IG de 70. Ambos son valores elevados y similares, así que tampoco es un dato que haga a la miel mejor que el azúcar común.

En la miel encontramos un 1% de otras sustancias que sí tienen valor nutricional, como minerales, vitaminas y aminoácidos, y es por ello por lo que se le atribuyen propiedades antioxidantes, entre otras. También contiene una pequeña porción de agua oxigenada, responsable de que en la antigüedad y en caso de emergencia se utilizase miel como cicatrizante y bactericida.

La proporción de nutrientes es tan pequeña que necesitaríamos comer grandes cantidades de miel para que el aporte fuera significativo. Y eso es precisamente lo que no debemos hacer. El beneficio que pudiesen suponer sus nutrientes queda eclipsado por la enorme cantidad de azúcares que contiene la miel. Si queremos nutrientes, no los busquemos en la miel.

De qué están hechos los siropes

Los siropes o jarabes son jugos que se extraen de diferentes plantas que posteriormente se tratan para eliminar parte del agua y concentrar sus azúcares. Los siropes son disoluciones acuosas con un contenido en azúcares que oscila entre el 70 % y el 90 %. Los más conocidos son el sirope de arce y el sirope de agave.

El sirope de arce, edulcorante típico canadiense, se extrae del tronco de diferentes tipos de arces. Es el sustituto de la miel que suele emplearse en la cocina vegana. Para producir el sirope se extrae el jugo del tronco de los arces y se calienta hasta conseguir la consistencia deseada. Algunos productores, además, le añaden grasa en forma de manteca.

El sirope de agave se extrae del corazón del agave, planta típica de México. Para su elaboración se corta la planta y se extrae la savia, denominada aguamiel, que consumen los nativos como una bebida refrescante. Si la savia se fermenta obtenemos pulque, bebida alcohólica tradicional de México. También se emplea para fabricar tequila. El proceso de obtención del sirope es por degradación enzimática de los carbohidratos, principalmente fructosanos, en azúcares simples. Posteriormente se filtra y se concentra por calentamiento hasta alcanzar una viscosidad similar a la miel, de forma muy parecida a como se obtiene el sirope de arce o cualquier otro sirope vegetal.

Tanto el sirope de arce como el sirope de agave tienen un IG de 55, y aportan una media de tres kilocalorías por gramo. La diferencia con el azúcar se debe a la cantidad de agua y a la elevada proporción de fructosa.

La principal diferencia entre los siropes y la miel es que los siropes contienen una mayor cantidad media de fructosa. El sirope que más fructosa contiene es el llamado jarabe de maíz, también conocido como jarabe de maíz de alta fructosa. Aunque la fructosa y la glucosa aportan casi las mismas kilocalorías, la fructosa tiene una capacidad edulcorante más potente, por lo que suele emplearse menos cantidad para obtener el mismo dulzor.

De media, el 5 % de cualquiera de estos siropes contiene otro tipo de sustancias con valor nutricional, como vitaminas, minerales y aminoácidos, responsables, entre otras cosas, de los diferentes sabores y aromas de los siropes. El porcentaje es muy pequeño como para considerarlo una característica saludable, ya que, como pasaba con la miel o con el azúcar moreno, habría que consumir una elevada cantidad de estos edulcorantes para conseguir una porción significativa de nutrientes, y la enorme cantidad de azúcares ensombrece la posible bondad de sus nutrientes.

Para algunos consumidores, la ventaja de este 5 % de nutrientes y otras sustancias es organoléptica. De ninguna manera debería aconsejarse el consumo de miel o siropes alegando valor nutricional y otras características saludables, porque no son ni ciertos ni relevantes.

¿Son mejores los edulcorantes de alto contenido en fructosa?

Hay que tener en cuenta ciertas consideraciones metabólicas con respecto al edulcorante comercialmente denominado fructosa, y con respecto a los edulcorantes de alto contenido en fructosa, como la miel y los siropes.

A diferencia de la glucosa, que se absorbe instantáneamente produciendo un aumento y una disminución rápida de energía, la fructosa se metaboliza más despacio, y en parte es almacenada como reserva por el hígado en forma de glucógeno. El exceso acaba convirtiéndose en grasa. Sin embargo, puesto que la fructosa se transforma en gluco-

177

sa y produce una elevación glucémica en sangre, no se considera un edulcorante recomendable para las personas con diabetes, tal y como se creía erróneamente en el pasado.

El hecho de que toda la fructosa tenga que ser metabolizada por el hígado (mientras que la glucosa se metaboliza en todo tipo de células) tiene implicaciones sobre la salud. Actualmente se está analizando la relación entre un consumo excesivo de fructosa y algunas patologías como la diabetes tipo II, la obesidad y sus enfermedades cardiovasculares asociadas, el hígado graso no alcohólico y el síndrome metabólico. Patologías que hasta ahora asociábamos al consumo excesivo de azúcar común, entre otros, y que hoy en día extendemos a estos otros edulcorantes de elevado contenido en azúcares como la fructosa.

Puede resultar curioso que un alimento con un IG medio, como muchos siropes, esté relacionado con la obesidad. Hay una razón metabólica que lo explica: el hígado focaliza toda la actividad en la fructosa, lo que causa un cese en la actividad digestiva normal. La consecuencia es que se reducen los niveles de insulina y leptina, y aumenta el nivel de la hormona ghrelina, encargada de controlar el apetito, con lo cual, cuando consumimos fructosa, no sentiremos saciedad.

¿Es mejor para la salud consumir miel o siropes que consumir azúcar refinado?

La OMS denomina azúcar libre a la miel y los siropes, ya que su consumo ocasiona una respuesta metabólica de consecuencias análogas a las que produce el consumo de azúcar común.

Tanto la miel como los siropes tienen un contenido en azúcares elevado, que varía entre el 70 % y el 90 %. El resto es agua, y una cantidad mínima de nutrientes, vitaminas y minerales. Estos nutrientes son tan escasos que cualquiera de las propiedades beneficiosas que pudiesen aportarnos queda ensombrecida por el alto contenido en azúcares. Si queremos nutrientes, no los busquemos en la miel o en los siropes.

En definitiva, si la recomendación es disminuir la ingesta de azúcar libre, disminuyámosla, no busquemos soluciones mágicas. Tanto la miel como los siropes son azúcares con nombres y presentaciones atractivas, que evocan salud y naturalidad; son azúcares con un bonito disfraz.

¿Qué son los edulcorantes artificiales?

Actualmente, el volumen de consumo de azúcar en España es casi cuarenta veces mayor que el del edulcorante. En cambio, desde 2015 el volumen consumido de azúcar ha disminuido un 13 %, mientras que el del edulcorante ha aumentado un 11,7 %.

Todos los edulcorantes artificiales que encontramos en el mercado están catalogados como aditivos alimentarios. Esto implica que, además de su nombre común (como sacarina o aspartamo), tienen su propia denominación como aditivos, con su correspondiente número E. Esto es importante porque significa que cada una de esas sustancias ha sido debidamente analizada antes de comercializarse y «ganarse» su número E.

Hay intereses de diferente naturaleza que han llevado a publicar informaciones alarmantes sobre estas sustancias, incluso llegando a relacionarlas con el cáncer, y que, desgraciadamente, siguen circulando y avivando las dudas de los consumidores. No hay nada que temer, salvo la desinformación deliberada.

Se han revisado cientos de estudios de seguridad llevados a cabo sobre cada edulcorante, incluidos estudios para evaluar el riesgo de cáncer. Los resultados de estos estudios no mostraron evidencias científicas de que estos edulcorantes causen cáncer o de que presenten cualquier otra amenaza para la salud humana. Cualquier información que contradiga esta afirmación es falsa.

Veamos algunos datos importantes sobre los principales edulcorantes artificiales:

SACARINA

Se sintetizó por primera vez en 1879 y comenzó a popularizarse durante la primera guerra mundial a causa de la escasez de azúcar. Es el aditivo E-954. Es entre trescientas y quinientas veces más dulce que el azúcar y no se metaboliza, se absorbe tal cual y es eliminado rápidamente a través de la orina. No aporta ninguna caloría.

Ciclamato

El ciclamato sódico se descubrió en 1937 y tiene un poder edulcorante entre cincuenta y cien veces superior al azúcar. Es el aditivo E-952. No suele comercializarse solo, sino como edulcorante presente en bebidas y alimentos. Su absorción es mínima y se elimina por la orina.

Acesulfamo K

Se sintetizó por primera vez en 1967, y es unas doscientas veces más dulce que el azúcar. Es el aditivo E-950. El principal inconveniente es organoléptico, ya que deja un regusto metálico en la boca si no se combina con otros edulcorantes como el aspartamo y la sucralosa. La principal ventaja es que es estable al calor, por eso se utiliza en productos horneados. Tampoco se metaboliza, con lo que se elimina íntegramente a través de la orina.

Sucralosa

Se descubrió en 1976. Es el aditivo E-955, y tiene un poder edulcorante seiscientas veces mayor que el azúcar. La principal ventaja es que resiste altas temperaturas, como el acesulfamo, y juntos generan un efecto sinérgico que aumenta el dulzor.

Aspartamo

Fue descubierto casualmente en 1965. Es el aditivo E-951, con un poder edulcorante doscientas veces mayor que el azúcar. El aspartamo es el edulcorante que peor prensa ha tenido (y sigue teniendo). Sobre él se han publicado estudios fraudulentos que, a pesar de haber sido desmentidos, permanecen en nuestra memoria y hacen dudar al consumidor. Tanto es así que algunas empresas han decidido dejar de utilizar este edulcorante por culpa de la presión mediática.

La compañía PepsiCo sufrió una caída del 5 % de sus ventas en uno de sus buques insignia, la Pepsi Light. La razón fue que su contenido en aspartamo era percibido por parte de los consumidores como un riesgo para la salud.

El aspartamo está formado por la unión de dos aminoácidos naturales y habitualmente presentes en muchísimos alimentos, la fenilalanina y el ácido aspártico. En su degradación metabólica se obtienen ambos aminoácidos por separado. Ninguna de estas sustancias, juntas o separadas, son perjudiciales para la salud en un consumo normal. Pero sí pueden afectar a personas con una enfermedad metabólica llamada fenilcetonuria. Por este motivo, los alimentos con aspartamo incluyen en su etiqueta la siguiente advertencia: «Fuente de fenilalanina». Para los que no padecemos esta enfermedad, el aspartamo no supone ningún riesgo.

¿Son mejores para la salud los edulcorantes artificiales que el azúcar?

La principal ventaja es que todos los edulcorantes artificiales son seguros. A diferencia de los polialcoholes, no se ha demostrado que afecten a la microflora intestinal ni tienen efectos laxantes, como sí ocurre con los productos comerciales actuales de estevia, hechos a base de eritritol.

Además, el sabor y el dulzor de unos y otros es diferente, lo que permite que cada cual escoja el que más le guste, y que los fabricantes utilicen uno o varios hasta llegar a un sabor que, en muchos casos, resulta difícilmente distinguible del azúcar.

Tienen un índice glucémico nulo, con lo que no afectan a los niveles de glucosa en sangre, pudiendo ser consumidos por personas con diabetes.

A estas ventajas hay que sumar la que suele resultarnos más interesante: ninguno de estos edulcorantes artificiales aporta calorías.

Si no engordan ni son perjudiciales para la salud, evidentemente

181

son la mejor opción de todas para sustituir el azúcar. En cambio, todo lo referente a la alimentación no puede analizarse sin tener en cuenta las conductas de consumo.

Algunas líneas de investigación actuales se centran en el estudio del consumo de alimentos con edulcorantes artificiales y su relación con la obesidad. Puede parecer contradictorio, pero la realidad es que sí existe relación, aunque no exista un consenso sobre cómo sucede. Hay varios factores que afectan, como que el consumo de edulcorantes está relacionado con los malos hábitos alimenticios, con una peor gestión del apetito y con la falsa percepción de un menor consumo calórico global.

En conclusión, los edulcorantes artificiales son los mejores sustitutos del azúcar. Son los mejores si, y solo si, se usan dentro de una dieta saludable. Esta matización es importante porque que un alimento contenga edulcorantes artificiales en lugar de azúcar no lo convierte en un alimento saludable. Los alimentos ultraprocesados, como las galletas, la bollería industrial, los panes industriales, los zumos industriales, etc., generalmente tienen una baja calidad nutricional, contengan azúcar o edulcorantes. La calidad de un alimento estriba en el alimento completo, no en sus ingredientes por separado. Por ejemplo, una galleta sin azúcar seguirá siendo un alimento poco recomendable si contiene harinas refinadas o grasas de baja calidad.

Si seguimos una dieta saludable, rica en materias primas de calidad y productos frescos, y nos gusta endulzar el café, el yogur o tomar un refresco de vez en cuando, los edulcorantes artificiales son una buena opción.

¿Es mejor para la salud el azúcar moreno que el azúcar blanco?

No hay diferencias nutricionales relevantes entre el azúcar blanco y el azúcar moreno. Ambos son azúcar libre, y su consumo según la OMS ha de minimizarse.

Sustituir el azúcar blanco por el azúcar moreno perpetúa el problema y, en algunos casos, lo sobredimensiona, porque consumimos más, ya que tiene menor poder edulcorante y además es fácil caer en el error de creer que es un sustituto saludable. Si queremos vitaminas y minerales, no los busquemos en el azúcar.

La elección saludable y el esfuerzo que deberíamos hacer, si realmente queremos plantarle cara al problema, es endulzar cada vez menos todo lo que consumimos y comer más productos frescos y menos ultraprocesados, que son los que más azúcar añadido contienen. Si lo logramos, obtendremos una recompensa realmente valiosa: descubrir el auténtico sabor de los alimentos.

Conclusión

Las recomendaciones de la OMS, así como los consejos de los dietistas-nutricionistas, no pretenden demonizar los placeres. Lo que se pretende es que cuando tomes la decisión de, por ejemplo, consumir azúcar moreno, no lo hagas creyendo que es una elección saludable. Tomar azúcar moreno es una elección que haces por placer, no por salud, la cual también es una razón absolutamente legítima.

Cuando te tomas un bollo, una chocolatina, un refresco, etc., lo haces porque te apetece, y no hay ninguna intención saludable en tu decisión. Nadie pretende que creas que un bollo de color rosa es un alimento saludable. En cambio, la publicidad de productos con frutas o verduras, como zumos, potitos, papillas con azúcares añadidos, puede dar la impresión de que se trata de productos saludables, cuando no siempre lo son.

Hay que tener en cuenta que ninguno de estos azúcares está oculto en los alimentos: siempre figurará en la lista de ingredientes. Esto está completamente regulado en las normas de etiquetado: cualquier alimento que contenga azúcar ha de indicarlo en su etiqueta como ingrediente. De no hacerlo, no pasaría los controles de seguridad, y sería retirado del mercado.

Lo que se intenta con este bombardeo de información sobre los azúcares es que los consumidores tomemos conciencia del abuso de azúcares libres en nuestra dieta y sus efectos sobre la salud, y que seamos consecuentes si queremos serlo. La forma de hacerlo es muy sencilla: limitar el consumo de zumos, miel, siropes y, sobre todo, alimentos con azúcares añadidos.

PRINCIPALES FUENTES CONSULTADAS

Boyer, Rodney, *Conceptos de bioquímica,* México D. F., International Thomson Editores, 1999.

Clemente, Esther, «Qué es el sirope de agave, origen y usos en la cocina», en *Directo al Paladar*, 23 de febrero de 2013, <www.directoalpaladar. com/ingredientes-y-alimentos/que-es-el-sirope-de-agave-origen-y-sus-usos-en-la-cocina>.

Forristal, Linda, «The Murky World of High-Fructose», en The Weston A. Price Foundation, 3 de diciembre de 2003, <www.westonaprice.org/ health-topics/modern-foods/the-murky-world-of-high-fructose-corn-syrup/>.

Lurueña, Miguel Ángel, «¿Es cierto que la miel no se estropea?», en *Gominolas de Petróleo*, 4 de mayo de 2012, <www.gominolasdepetroleo. com/2012/05/es-cierto-que-la-miel-no-se-estropea.html>.

—, «El mito de los cinco venenos blancos (II): el azúcar», en *Gominolas de Petróleo*, 2 de diciembre de 2014, <www.gominolasdepetroleo. com/2014/12/el-mito-de-los-cinco-venenos-blancos-ii.html>.

Morselli, Mariafranca; y Whalen, M. Lynn, «Appendix 2: Maple Chemistry and Quality», en Koelling, Melvin R; y Heiligmann, Randall B. (comps.), *North American Maple Syrup Producers Manual*, Columbus, Ohio State University, 1996.

NIH, «Edulcorantes artificiales y el cáncer», en Instituto Nacional del Cáncer, 2017, <www.cancer.gov/espanol/cancer/causas-prevencion/riesgo/ dieta/hoja-informativa-edulcorantes-artificiales>.

Núñez, Daniel Pedro; y García Bacallao, Lourdes, «Bioquímica de la caries dental», en *Revista Habanera de Ciencias Médicas*, junio de 2010, 9(2), <http://scielo.sld.cu/scielo.php?script=sci_arttext&pid=S1729-519X2010000200004>.

OMS, *Guideline: Sugars Intake for Adult and Children*, Ginebra, Organización Mundial de la Salud, 2015.

—, *Nota informativa sobre la ingesta de azúcares recomendada en la directriz de la OMS para adultos y niños*, Ginebra, Organización Mundial de la Salud, 2015.

Revenga, Juan, «Aspartamo, transgénicos, bisfenol A y gluten: la industria hace su agosto con la mala ciencia», en *20 Minutos*, 25 de mayo de 2015.

—, «¿Son insanos los edulcorantes?», en *El País*, 18 de enero de 2016.

—, «¿Existen alternativas sanas al azúcar?», en *El País*, 1 de marzo de 2016.

Roberts, Michelle, «Pepsi to Drop Artificial Sweetener Aspartame», en *BBC News*, 27 de abril de 2015.

Sánchez, Aitor, «Los edulcorantes no causan cáncer, pero no son inocuos», en *El País,* 18 de enero de 2017.

Teff, K. L.; *et al.*, «Dietary Fructose Reduces Circulating Insulin and Leptin, Attenuates Postprandial Suppression of Ghrelin, and Increases Triglycerides in Women», en *The Journal of Clinical Endocrinology & Metabolism*, 2004, 89 (6), págs. 2.963-2.972.

Tomé, César, «De cómo el consumo regular de productos con edulcorantes artificiales produce obesidad», en *Experientia Docet*, 15 de junio de 2012, <www.experientiadocet.com/2012/06/de-como-el-consumo-regular-de-productos.html>.

Uebanso, Takashi; *et al.*, «Ai Effects of Low-Dose Non-Caloric Sweetener Consumption on Gut Microbiota in Mice», en *Nutrients*, 2017, 9(6), pág. 560.

Unión Europea, Directiva 2001/111/CE del Consejo de 20 de diciembre de 2001 relativa a determinados azúcares destinados a la alimentación humana, en *Diario Oficial de la Unión Europea*, 10, de 12 de enero de 2002, págs. 53-57.

—, Reglamento (UE) 1169/2011 del Parlamento Europeo y del Consejo de 25 de octubre de 2011, en *Diario Oficial de la Unión Europea,* 304, 22 de noviembre de 2011, págs. 18-63.

Vandevijvere, Stefanie; Chow, Carson C.; Hall, Kevin D.; Umalia, Elaine; y Swinburna, Boyd A., «Increased Food Energy Supply As a Major Driver of the Obesity Epidemic: A Global Analysis», en *Bull World Health Organ*, 2015, 93, págs. 446-456.

19. El edulcorante estevia cura la diabetes
Mitos de la salud

Cuando la enfermedad nos toca de cerca nos resistimos a creer que no tiene cura, desde enfermedades con las que podríamos convivir y mantener la calidad de vida hasta enfermedades con desenlaces trágicos. Cuando esto sucede, lo humano es aferrarse a cualquier atisbo de esperanza.

Lo reconozco: si yo misma o alguno de mis seres queridos estuviesen sufriendo con alguna enfermedad y la medicina no pudiera hacer nada más, probaría casi de todo. Piensas «De perdidos al río». Es normal. Jamás deberíamos juzgar a quien sufre y prueba con cualquier cosa que se encuentra. Cuando la ciencia no ha podido darte tregua, tú mismo le das tregua a la razón y te lanzas a lo que sea. Esto lo saben bien muchos desalmados que se aprovechan del sufrimiento de los enfermos. No solo les venden brebajes o terapias extrañas que vete tú a saber si no arruinan a su familia, aceleran su muerte o directamente acaban con ellos, sino que les venden algo más perverso que todo eso. Les venden fe, a ellos y a sus allegados. Y cuando las cosas no funcionan, cuando todo va a peor, además de haberles estafado, se sienten imbéciles. Y lo peor de todo, se sienten culpables.

La diabetes no tiene cura. Se puede vivir con ella y llegar a tener una buena calidad de vida. El hecho de que una enfermedad de la que sabemos tanto no pueda curarse se ha convertido en un hervidero de fantoches que, o bien culpan a la industria farmacéutica de no tener interés en curar a los enfermos, o bien dicen conocer un bálsamo de

Fierabrás que todo lo cura y que la mafia del medicamento pretende que tú no descubras. Es a la industria farmacéutica, la que invierte su capital en investigar, a la que acusan de engaño. En cambio, cualquier cantamañanas sin oficio ni beneficio es el que pensando muy fuerte ha descubierto la cura para todo mal. Parece absurdo, pero así funciona. Cuando estás harto de sufrir y ver sufrir, algo que parecía absurdo empieza a vislumbrarse como posible.

Qué es la diabetes

Para el año 2015, 30,3 millones de personas en Estados Unidos, es decir, el 9,4 % de la población, tenían diabetes. Más de una de cada cuatro de estas personas no sabía que tenía la enfermedad. La diabetes afecta a una de cada cuatro personas mayores de sesenta y cinco años. Alrededor del 90 % al 95 % de los casos en adultos corresponden a la diabetes tipo 2.

La diabetes es una enfermedad que se presenta cuando el nivel de glucosa en la sangre, también conocido como azúcar en la sangre, es demasiado alto. La glucosa en la sangre es la principal fuente de energía y proviene de los alimentos. La insulina, una hormona que produce el páncreas, ayuda a que la glucosa de los alimentos ingrese en las células para usarse como energía. Algunas veces, el cuerpo no produce suficiente o no produce nada de insulina o no la usa adecuadamente, y la glucosa se queda en la sangre y no llega a las células.

Con el tiempo, el exceso de glucosa en la sangre puede causar problemas de salud. Aunque la diabetes no tiene cura, la persona con diabetes puede tomar medidas para controlar su enfermedad y mantenerse sana.

A veces, las personas con diabetes dicen que tienen «un poquito alto el azúcar» o que tienen «prediabetes». Estas expresiones nos hacen pensar que la persona realmente no tiene diabetes o que su caso es menos grave. Sin embargo, todos los casos de diabetes son graves.

Existen varios tipos de diabetes: tipo 1, tipo 2 y gestacional.

Con la diabetes tipo 1, el cuerpo no produce insulina porque el sistema inmunitario ataca y destruye las células del páncreas que la producen. Por lo general, se diagnostica en niños y adultos jóvenes, aunque puede aparecer a cualquier edad. Las personas con diabetes tipo 1 tienen que usar insulina todos los días para sobrevivir.

Con la diabetes tipo 2, el cuerpo no produce o no usa la insulina adecuadamente. Puede aparecer a cualquier edad, incluso durante la infancia. Sin embargo, este tipo de diabetes se presenta con mayor frecuencia en las personas de mediana edad y en los ancianos. Este es el tipo más común de diabetes.

Las personas que tienen más probabilidad de desarrollar diabetes tipo 2 son las que tienen más de cuarenta y cinco años, antecedentes familiares de diabetes o sobrepeso. La inactividad física, la raza y ciertos problemas de salud, como la presión arterial alta, también influyen en la probabilidad de tener diabetes tipo 2. Además, la probabilidad de desarrollarla es mayor si se tiene prediabetes o si se tuvo diabetes gestacional cuando se estaba embarazada.

La diabetes gestacional afecta a algunas mujeres durante el embarazo. La mayoría de las veces, este tipo de diabetes desaparece después de que nazca el bebé. Sin embargo, cuando una mujer ha tenido diabetes gestacional, tiene más probabilidad de sufrir de diabetes tipo 2 más adelante en la vida. A veces, la diabetes que se diagnostica durante el embarazo es en realidad una diabetes tipo 2.

Existen otros tipos menos comunes de esta enfermedad, que incluyen la diabetes monogénica, una forma hereditaria de diabetes, y la diabetes relacionada con la fibrosis quística.

Con el tiempo, los niveles altos de glucosa en la sangre causan problemas, como enfermedades del corazón, accidentes cerebrovasculares, enfermedades de los riñones, problemas de los ojos, enfermedades dentales, lesiones en los nervios y problemas en los pies, entre otras. Las personas pueden tomar algunas medidas para reducir la probabilidad de tener estos problemas de salud relacionados con la diabetes, pero de momento no existe cura; solo conocemos formas de prevenirla y de tratar sus síntomas.

Qué es el edulcorante estevia

La sacarina, el aspartamo y demás edulcorantes suelen denominarse coloquialmente *edulcorantes artificiales*, mientras que la estevia suele llamarse *edulcorante natural*. Esta distinción no es trivial, sino que atiende a una estrategia publicitaria: aquello que se relaciona con la naturaleza nos resulta más atractivo y saludable.

Los productos denominados *estevia* que encontramos en el mercado tienen un aspecto similar al azúcar blanco, aunque en el envase encontremos la imagen de una planta.

Realmente, la estevia apenas se comercializa en España. Hasta hace poco estaba prohibido vender la planta como alimento, ni siquiera sus hojas secas. La principal razón es que no es un producto de consumo tradicional, y la segunda razón es que la planta contiene compuestos con actividad farmacológica, entre ellos hipotensores. Lo que se vende como estevia (a veces bajo otros nombres comerciales) es una mezcla de diferentes edulcorantes, entre los cuales se encuentra el E-960.

El aditivo E-960 se corresponde con el compuesto *rebaudiósido A*. Este compuesto es un glucósido de esteviol, formado por tres moléculas de glucosa unidas a una molécula de esteviol. Al igual que los demás edulcorantes, tiene su propio número E. Esto significa que se trata de una sustancia que puede emplearse como aditivo alimentario, que ha pasado los controles sanitarios y que es segura para consumo.

¿Cómo se produce la estevia?

Para la obtención del E-960 se utiliza la planta de *Stevia rebaudiana*, originaria de Sudamérica. De ahí el nombre comercial de los productos que contienen este aditivo, y de ahí la estrategia de denominarlo *edulcorante natural*.

El proceso de fabricación del E-960 comienza con una extracción de las hojas de la planta en la que se eliminan los compuestos que no interesan mediante floculación. Posteriormente se pasa la solución que queda por resinas de absorción, para concentrar los glucósidos.

Después se recuperan los glucósidos mediante una solución alcohólica. A continuación, se realiza una purificación con una solución hidroalcohólica y se recristaliza. De esta manera se obtiene el E-960 puro.

Los alimentos procesados que dicen contener estevia, como mermeladas, cremas de cacao o refrescos, suelen contener otros edulcorantes además del E-960. Podemos consultar todo lo que llevan revisando la lista de ingredientes.

¿Qué contienen los edulcorantes de estevia?

Los edulcorantes comercializados bajo el nombre de estevia o similares (como *stevia*, *steviva*, *svetia* o *truvia*) contienen un escaso porcentaje de E-960, mientras que el mayor porcentaje es de otro edulcorante, generalmente eritritol.

Si nos fijamos en la etiqueta de la estevia comercial, entre la lista de ingredientes encontraremos el glucósido de esteviol (el E-960), generalmente por debajo del 1 %, de modo que el 99 % restante del producto es el otro ingrediente: eritritol. Es decir, en una porción de 1,5 gramos de estevia comercial hay 1,485 gramos de eritritol y 0,015 gramos de glucósido de esteviol.

El eritritol es el aditivo alimentario E-968. Forma pequeños cristales que se disuelven con facilidad, lo que recuerda al azúcar común. Pertenece a la familia de los polialcoholes, como el xilitol, el sorbitol o el maltitol.

El principal inconveniente a corto plazo del uso de polialcoholes como edulcorantes es que producen efectos laxantes (unos en mayor medida que otros), y por eso esta advertencia figura en los envases de esta clase de productos. A la larga, si el consumo de estos edulcorantes es excesivo, provocan diarrea, inflamación, flatulencias, deshidratación y problemas de mala absorción. De entre todos los edulcorantes, el eritritol es el polialcohol al que tenemos mayor tolerancia. Prácticamente no se metaboliza. El 90 % se excreta por la orina sin causar problemas, y el 10 % restante fermenta en el intestino y en el colon, pudiendo causar molestias digestivas.

Si el azúcar común tiene un poder edulcorante de 1, el E-968 lo tiene de 0,7, y el E-960 lo tiene de 3, con lo que la combinación de ambos edulcorantes da como resultado una sustancia que se utiliza casi en la misma proporción con la que utilizaríamos el azúcar común. La principal ventaja es que la capacidad edulcorante de estos productos es similar a la del azúcar, pero con un aporte calórico prácticamente nulo.

La otra ventaja es que estos productos no fermentan en la boca, con lo que no están relacionados con la aparición de caries, como sí ocurre con los azúcares.

Otra ventaja es que el índice glucémico (IG), tanto del E-968 como del E-960, es nulo, es decir, que no afectan a los niveles de glucosa en sangre. Esto hace que los diabéticos puedan consumirlos.

Una de las grandes desventajas de este tipo de edulcorante es que un consumo continuado afecta a la percepción del sabor, aumentando el apetito y la tolerancia al sabor dulce. Las personas que toman habitualmente este tipo de productos aumentan de media un 30 % el consumo de calorías frente a aquellas que no toman edulcorantes. Esto se debe al *efecto halo* de los alimentos *light*, ya que saber que aportan menos calorías y que parecen más saludables afecta a la conducta, y el resultado es que comemos más de lo necesario. Cada vez tenemos más edulcorantes y más alimentos bajos en calorías, pero los índices de obesidad no dejan de aumentar.

¿La estevia cura enfermedades?

Uno de los mayores mitos que encontramos haciendo una búsqueda por internet sobre las bondades de estos edulcorantes es que la estevia cura la diabetes. Ni cura la diabetes ni ninguna otra enfermedad. La única relación entre estos edulcorantes y la diabetes es que son aptos para diabéticos.

Otras bondades atribuidas a la estevia no se corresponden con ninguna propiedad achacable al E-960. Ni es antioxidante, ni bactericida, ni hipotensor, ni antiácido, ni un largo etcétera de propiedades sobre las que no hay ninguna evidencia.

El agricultor que se inventó que podía curar la diabetes

La primera vez que muchos oímos hablar de las bondades de la planta estevia fue de la mano de un agricultor. Este hombre aseguraba que la estevia era capaz de curar la diabetes, y que a la industria farmacéutica esto no le interesaba. Según él, la industria farmacéutica, así como los centros de investigación médica, no pretenden curar enfermedades, sino provocarlas y perpetuarlas, convertirlas en crónicas para poder lucrarse durante más tiempo vendiendo medicamentos y manteniendo a la gente enferma. Esta clase de ideas conspirativas acerca de la medicina siempre me han hecho mucha gracia, así que no le di la mayor importancia. Pensé que este hombre era simplemente un personaje con ínfulas y escasos conocimientos sobre cómo funciona la ciencia. Cuando desconoces algo, es normal que tengas una opinión equivocada sobre ello. La parte de creer que hay un tinglado malicioso montado a través de la industria farmacéutica y los centros de investigación médica ya es un poco más preocupante como rasgo de la personalidad.

Desgraciadamente, tanto este agricultor como todo un séquito de seguidores siguieron haciendo ruido y denunciando el caso de la estevia. Este hombre fundó una empresa desde la que poder vender estevia al margen de la ley, sin ningún tipo de control sanitario. No estaba permitido venderla como alimento hasta mediados de 2017. Lo impedía el reglamento comunitario de «nuevos alimentos», ya que no se ha confirmado su consumo significativo antes de 1997. Hasta que no se probase que el consumo de estevia era seguro, como cualquier otro alimento, no podría venderse. A pesar del reglamento, la empresa de este agricultor lleva años vendiendo la planta y asegurando que tiene propiedades terapéuticas. Su empresa ha recibido varias peticiones de la Agencia de Salud Pública de su comunidad para que cese su actividad comercial. Nunca lo ha hecho.

Este agricultor es el mismo que vende la planta de kalanchoe con la que asegura curar el cáncer, el que niega que exista el VIH, es un conocido antivacunas y dice curar el ébola con una disolución milagrosa que llama MMS, de similar composición a la lejía. Da charlas por todo el mundo hablando de las bondades de sus plantas y brebajes. Y su empresa factura entre uno y dos millones y medio de euros al año. Y yo no le di demasiada importancia porque creí que era un ignorante y un vanidoso que creía que podía curar la diabetes con un edulcorante. Se ha convertido en un empresario del miedo y la mentira.

Conclusión

El producto que se comercializa como estevia no es un edulcorante más natural que cualquier otro edulcorante. Aunque el adjetivo *natural* no significa nada concreto, lo asociamos con sustancias que se encuentran libres en la naturaleza y con sustancias con propiedades beneficiosas para la salud. La estevia no cumple ninguna de estas características. Eso no la hace ni mejor ni peor. La estrategia publicitaria de lo *natural*, en oposición a lo *artificial*, como si una cosa fuese buena y la otra no, es una estrategia que nace de la incultura y la promueve.

La estevia que se comercializa en España y gran parte de la Unión Europea se basa en una mezcla de diferentes edulcorantes, donde el E-960 (rebaudiósido A, que se extrae de la planta) es el que está en menor proporción. La mayor parte de estos productos son el eritritol, el edulcorante E-968.

En conjunto, sí podemos asumir que este edulcorante es mejor para la salud que el azúcar, ya que no influye en la diabetes ni en las caries, e influye en menor medida en la obesidad y sus enfermedades asociadas. Que no sea malo para la salud tampoco implica que sea beneficioso.

El gran inconveniente del uso de este edulcorante es que perpetúa conductas alimentarias insalubres y la tendencia de consumir todo con un extra de dulzor. Los edulcorantes enmascaran el verdadero sabor de los alimentos, y esa es la mayor pérdida de todas.

Cedeira, Brais, «El embaucador de la infusión: Josep Pàmies "cura" el cáncer, el ébola y el sida con hierbas y lejía», en *El Español*, 2 de abril de 2017.

Centers for Disease Control and Prevention, *National Diabetes Statistics Report, 2017*, s. f., <www.cdc.gov/diabetes/pdfs/data/statistics/natio nal-diabetes-statistics-report.pdf>.

Consumer, «Estudio sobre el consumo y el gasto en azúcar y edulcorante de la población española, a partir de datos del Panel de Consumo Alimentario del MAPAMA», en *Revista Consumer*, 2017, <http://revista.con sumer.es/web/es/20170301/actualidad/tema_de_portada/78776.php>.

Gutiérrez Cruz, Alejandro, *Bioquímica, farmacología y toxicología de Stevia rebaudiana Bertoni*, trabajo de fin de grado, Madrid, Universidad Complutense de Madrid, 2015.

Qiao-Ping Wang; *et al.,* «Sucralose Promotes Food Intake through NPY and a Neuronal Fasting Response», en *Cell Metabolism*, julio de 2016, 24(1), págs. 75-90.

Revenga, Juan, «El efecto halo de los alimentos saludables (el efecto sacarina)», en *El nutricionista de la General*, 27 de mayo de 2013, <http:// juanrevenga.com/2013/05/el-efecto-halo-de-los-alimentos-saludables-o-el-efecto-sacarina/>.

Rodríguez Pérez, María, *Efecto de los polioles en la nutrición y sus aplicaciones en la industria alimentaria*, trabajo de fin de grado, Valladolid, Universidad de Valladolid, 2014.

Salvador-Reyes, Rebeca; Sotelo-Herrera, Medali; y Paucar-Menacho, Luz, «Estudio de la Stevia (Stevia rebaudiana Bertoni) como edulcorante natural y su uso en beneficio de la salud», en *Scientia Agropecuaria*, 2014, 5 (3), <www.scielo.org.pe/scielo.php?pid=S2077-99172014000300006 &script=sci_arttext>.

20. Solo compro cosméticos que no han sido testados en animales
Mitos de la cosmética

Cuando cumplí veintipico años, mi madre me regaló un set de productos cosméticos. Yo pensaba que la cosmética no servía para nada, que era «solo marketing». Creía que no había ningún principio activo que penetrase en la piel, ya que «la piel es una barrera infranqueable». De tanto escuchar y repetir ese argumento, acabé creyendo que era cierto. Así que hice que mi madre devolviese el regalo. Fue algo feo por mi parte. Pero en mi defensa diré dos cosas: pensaba que mi madre había tirado el dinero y que, al tratarse de mi madre, había confianza como para decirle que aquel regalo no me gustaba.

Con el tiempo descubrí que yo estaba equivocada. El argumento de «la piel es una barrera infranqueable» es falso, y además se desmiente de una forma muy sencilla. ¿No hay sustancias que acaban penetrando tanto que hasta podemos encontrarlas en la sangre? Sin ir más lejos, esto sucede con los envenenamientos. Hay venenos que nos hacen daño solo con tocarlos, precisamente porque la piel no es infranqueable. Esto sucede también con las cremas con corticoides, por ejemplo. De hecho, las cremas que contienen principios activos que penetran más allá de la dermis ya no son productos cosméticos, sino que entran en la definición de fármacos, por razones obvias. Sí sabemos cómo hacer que algunas sustancias atraviesen la epidermis, así que no, la piel no es una barrera infranqueable.

Otro de los asuntos que me provocaba rechazo a la cosmética era la cuestión de la experimentación animal. Consideraba que la cosmética solo se hacía cargo de la estética, y eso era una preocupación menor, algo banal. Algo en lo que ningún animal debería verse involucrado. Con el tiempo descubrí que la cosmética se ocupa de cuestiones que van más allá de lo superficial. Es cierto que la estética es más relevante de lo que yo creía por aquel entonces. Puede llegar a tener una importancia vital. Por ejemplo, la estética es fundamental para garantizar la adherencia de los agresivos tratamientos oncológicos, algo de lo que no fui consciente hasta que me tropecé con personas cuya calidad de vida durante la enfermedad mejoró gracias a los paliativos que ofrece la cosmética. Y ni siquiera hay que irse a los extremos. Hay casos de acné, dermatitis, psoriasis, etc., que pueden aliviarse gracias a la cosmética, y que son capaces de hacer recuperar la vitalidad y la confianza a quien las padece. Las cuestiones estéticas no siempre son tan triviales como puede parecer a simple vista.

Descubrí que la cosmética iba más allá de la estética, que era una cuestión de salud. Desde productos dentífricos a tratamientos para enfermedades dermatológicas. Cuando la salud está en juego, la experimentación animal se convierte en un tema más complejo. Aquí entran las valoraciones éticas y los juicios personales. El caso es que sabemos que muchas personas deciden comprar uno u otro producto cosmético en función de si la marca es o no *cruelty free*. Para saberlo no hay más que hacer una consulta al laboratorio cosmético que fabrica los productos que utilizamos. Esto puede resultar trabajoso para algunos, así que muchas personas se limitan a hacer una búsqueda por internet.

Si hacemos una búsqueda rápida por internet en busca de listas de marcas que experimentan con animales, nos puede dar vértigo. Todavía encontramos vídeos y fotografías que exhiben escenas de crueldad animal y que hieren la sensibilidad. Estas listas existen, pero ¿responden a la realidad?

Cómo se regula la experimentación animal en cosmética

En la Unión Europea existe un contundente reglamento sobre productos cosméticos. En el artículo 18 del reglamento se especifica que está totalmente prohibida la experimentación animal en toda la Unión

Europea. Los organismos encargados de verificar que el reglamento se cumple también se encargan de controlar que ningún cosmético fruto de la experimentación animal llegue al mercado europeo. Los controles en frontera también evitan que lleguen al mercado productos cosméticos de países en los que la experimentación animal está permitida.

La normativa europea que estableció la eliminación gradual de los ensayos con animales en materia de cosméticos, instaurando la prohibición de experimentar en animales, tanto productos cosméticos acabados como sus ingredientes, terminó de aplicarse en su totalidad en septiembre de 2004 y en marzo de 2009, respectivamente.

La prohibición de comercializar productos cosméticos acabados experimentados en animales o que contengan ingredientes experimentados en animales terminó de aplicarse en 2013. Esto significa que desde 2013, cualquier nuevo producto cosmético (artículos de aseo, cremas, jabones, maquillaje, higiene dental, etc.) que una empresa desee poner a la venta en la Unión Europea no debe haberse probado en animales en ninguna parte del mundo.

En algunos países, como China, la experimentación animal está permitida, y no solo eso; para algunos cosméticos en concreto (no todos y no siempre) resulta obligatoria. Es la forma que tienen de comprobar que algunos productos son seguros para el consumidor. Por este motivo existe el mito de que las empresas que fabrican o venden en China sí experimentan fuera de la Unión Europea. Esto es falso. Si los cosméticos que se fabrican en China han llegado a comercializarse en Europa es porque han pasado los controles en frontera, es decir, que han superado nuestra ley en cuanto a composición, fabricación, etiquetado, etc. Entre esos requisitos está el que no procedan de una fábrica que permita la experimentación animal. Si el producto es legal, vendido en una superficie comercial legítima, aunque sea *made in China*, puedes estar seguro de que ningún animal ha sufrido para testar ni el producto acabado, ni el prototipo, ni ninguno de los ingredientes de su composición.

Como en Europa no se puede experimentar con animales, los laboratorios hacen sus pruebas in vitro, con piel artificial, y obviamente el último paso se hace con voluntarios, como en cualquier ensayo clínico. Hay que hacerlo de esta manera para poder sacarlo al mercado en Europa. No pueden servirse de otros ensayos en el extranjero si quieren cumplir con los requisitos de la UE, así que de nada serviría hacer un test en animales en el extranjero si luego no puedes usarlos para probar la seguridad y eficacia de tu producto y venderlo dentro de la Unión Europea.

Las empresas más potentes del mercado están presionando mucho a China para que permita acceder a su mercado sin testar en animales, sirviéndose de los mecanismos que utilizamos en Europa. La razón es simple: si quieren vender en Europa, no pueden testar en animales en ninguna parte del mundo, lo que hace que las empresas dejen de fabricar en China y para China. Es decir, el mercado y la industria cosmética China se está resintiendo por no cambiar su política con respecto a la experimentación animal. Así es como estas empresas presionan a China, y así es como conseguirán pronto que dejemos de testar cosméticos en animales en ninguna parte del mundo.

A estas medidas de presión hay que sumar uno de los grandes avances tecnológicos que han hecho que esto de la experimentación animal parezca cosa del pasado: la piel artificial.

Cosmética testada en piel artificial

Actualmente, la síntesis de piel in vitro (en laboratorio) se basa en generar las dos capas, dermis y epidermis, de forma manual. Primero se reconstruye la dermis a partir de colágeno, glicosaminas y fibroblastos; al mismo tiempo se aíslan queratinocitos de la epidermis del propio paciente y se multiplican por medio de técnicas de cultivo específicas, haciéndolas crecer sobre la dermis reconstruida. Este tipo de piel sintética se llama *equivalente dermoepidérmico bicapa*.

La piel sintética también se utiliza para investigación dermatológica. Por ejemplo, el testado de productos cosméticos y fármacos tópicos se hace in vitro, con voluntarios o utilizando piel artificial. Ningún cosmético comercializado en la Unión Europea se testa en animales, por lo que la piel sintética ha resultado ser un gran aliado.

La mayor productora de piel artificial por el método manual es la compañía L'Oréal, cuyos laboratorios de cultivo están en Lyon, Francia. La técnica se basa en utilizar piel que proviene de tejidos donados principalmente por pacientes de cirugía plástica, trocear ese tejido hasta liberar las células, alimentarlas con una dieta especial patentada y hacerlas crecer en un entorno que imita el cuerpo humano. Cada muestra mide un centímetro cuadrado de ancho y hasta un milímetro de espesor, y tarda aproximadamente una semana en formarse.

De las más de cien mil muestras de piel (de nueve variedades de todas las edades y razas) que la empresa produce anualmente, la mitad se utiliza para ensayar cosméticos de la empresa propietaria y la otra mitad se vende a las compañías farmacéuticas y a competidores. Actualmente, estos laboratorios ya producen alrededor de cinco metros cuadrados de piel al año.

En 2015 se hizo pública la primera alianza entre esta compañía de cosmética y una empresa especializada en la impresión 3D de tejidos. La intención era llegar a producir más muestras de piel artificial en menos tiempo.

En 2016, la idea de imprimir piel se hizo realidad. La impresión de piel se hace con impresoras 3D, las mismas que imprimen objetos tridimensionales utilizando plástico. En el caso de la impresión 3D de piel, en lugar de plástico los cartuchos contienen *biotintas*, una mezcla de células y otras sustancias que sirven de andamios y que controlan el correcto desarrollo. Un ordenador es el que da las órdenes a la impresora para que esta coloque la mezcla en placas donde se va produciendo la piel, que luego se introduce en una incubadora a una temperatura controlada.

El principal obstáculo con el que se encontraron fue escoger los andamios donde la impresora iría colocando las células. Lo que se está utilizando es plasma sanguíneo como andamio, y fibroblastos humanos y queratinocitos que se obtuvieron a partir de biopsias de piel. Han sido capaces de generar cien centímetros cuadrados de piel en menos de treinta y cinco minutos. Esta piel impresa se analizó tanto in vitro como en trasplante (in vivo), obteniéndose una piel regenerada muy similar a la piel humana e indistinguible de la piel generada por el método manual de cultivo, el equivalente dermoepidérmico bicapa.

La impresora puede producir piel autóloga, es decir, creada a partir de células del propio paciente, necesaria para usos terapéuticos, o alogénica, que se fabrica a partir de bancos de células o donantes y que es la más indicada para testar fármacos o cosméticos.

Es una forma automatizada, rápida y de menor coste que la técnica manual, pero todavía tiene sus limitaciones. La piel que crea la bioimpresora no permite, de momento, la reproducción de las glándulas sebáceas presentes en la piel, los folículos pilosos o los melanocitos que la dotan de color.

Conclusión

Es imposible comprar y vender legalmente un cosmético en Europa que haya sido fruto de la experimentación animal. Ni el producto completo ni ninguno de sus ingredientes se habrá testado en animales. Las listas que circulan por las redes de empresas que experimentan con animales son falsas. Si esas empresas venden sus productos en la Unión Europea, es decir, nos resultan marcas reconocibles, quiere decir que no experimentan con animales en ninguna parte del mundo.

Actualmente también se recomienda no utilizar como reclamo publicitario el hecho de no testar en animales, ya que en el reglamento (UE) n.º 655/2013, en el que se establecen los criterios comunes a los que deben responder las reivindicaciones relativas a los productos cosméticos, se explica que «las reivindicaciones relativas a productos cosméticos han de ser objetivas y no denigrar a los competidores, ni denigrar ingredientes utilizados legalmente», y que «las reivindicaciones relativas a productos cosméticos no deben crear confusión con productos competidores». Publicitar un producto como «no testado en animales» supone violar estos dos puntos del reglamento, ya que sí denigra a los competidores e induce a error al consumidor.

Los sellos utilizados para denotar que una marca no testa en animales también están en desuso en la UE por el mismo motivo. Es decir, los logos de conejitos, la etiqueta *cruelty free* y demás variantes no tienen ni sentido ni validez en la Unión Europea porque absolutamente todos los cosméticos que se venden aquí son *cruelty free.*

PRINCIPALES FUENTES CONSULTADAS

Concha, Miguel; Vidal, Alejandra; y Salem, Christian, «Producción de equivalentes dermoepidérmicos autólogos para el tratamiento de grandes quemados y cicatrices queloideas», *Cuadernos de Cirugía*, diciembre de 2002, 16(1), págs. 41-47.

Cubo, Nieves; García, Marta; Cañizo, Juan F. del; Velasco, Diego; y Jorcano, José L., «3D Bioprinting of Functional Human Skin: Production and in Vivo Analysis», en *Biofabrication*, 2016, 9(1), págs. 1-12.

Ministerio de Sanidad, Servicios Sociales e Igualdad, Orden SSI/2375/2014, de 11 de diciembre, por la que se modifica la Orden SPI/2136/2011, de 19 de julio, por la que se fijan las modalidades de control sanitario en frontera por la inspección farmacéutica y se regula el Sistema Informático de Inspección Farmacéutica de Sanidad Exterior, en *BOE*, 19 de diciembre de 2014, 306, págs. 103.155-103.204.

—, Real Decreto Legislativo 1/2015, de 24 de julio, por el que se aprueba el texto refundido de la Ley de garantías y uso racional de los medicamentos, en *BOE*, 25 de julio de 2015, 177, págs. 62.935-63.030.

Ministerio de Sanidad y Consumo, Real Decreto 1599/1997, de 17 de octubre, sobre productos cosméticos, en *BOE*, 31 de octubre de 1997, 261, págs. 31.486-31.513.

PACMA, «Europa prohíbe la experimentación animal en productos cosméticos», en *PACMA*, 1 de febrero de 2013, <https://pacma.es/europa-prohibe-la-experimentacion-animal-en-productos-cosmeticos/>.

Penalva, Javier «L'Oréal empezará a imprimir la piel donde probar sus cosméticos», en *Xataka*, 20 de mayo de 2015, <www.xataka.com/investigacion/l-oreal-empezara-a-imprimir-la-piel-donde-probar-sus-cosmeticos>.

Ramos López, Hans C.; Gan Acosta, Antonio; y Díaz, Jorge L., «Piel artificial», *Revista Colombiana de Tecnologías de Avanzada*, 2006, 2(8), págs. 34-40.

SINC, «L'Oréal se alía con Organovo para imprimir piel humana en 3D», en Agencia Sinc, 2015, <www.agenciasinc.es/Noticias/L-Oreal-se-alia-con-Organovo-para-imprimir-piel-humana-en-3D>.

Unión Europea, Reglamento (CE) n.º 1223/2009 del Parlamento Europeo y del Consejo de 30 de noviembre de 2009, sobre los productos cosméticos, en *Diario Oficial de la Unión Europea*, 342, 22 de diciembre de 2009, págs. 59-209.

—, Directiva 76/768/CEE del Consejo, de 27 de julio de 1976, relativa a la aproximación de las legislaciones de los Estados miembros en materia de productos cosméticos (directiva sobre cosméticos), *Diario Oficial de la Unión Europea*, 3 de agosto de 2012, 208, págs. 8-16.

—, Reglamento (UE) n.° 655/2013 de la Comisión, de 10 de julio de 2013, por el que se establecen los criterios comunes a los que deben responder las reivindicaciones relativas a los productos cosméticos, en *Diario Oficial de la Unión Europea*, 11 de julio de 2013, 190, págs. 31-34.

21. El cambio climático no lo hemos causado nosotros
Mitos del medioambiente

«Si no podemos predecir con seguridad qué tiempo hará mañana en A Coruña, ¿cómo vamos a saber qué pasará dentro de trescientos años?» Seguro que has oído afirmaciones de este tipo más de una vez. O que «El clima es cíclico, ya ha habido períodos de enfriamiento y calentamiento, y este es uno más». O que «Las plantas emiten cientos de veces más CO_2 del que emitimos las personas quemando combustibles, así que no somos los responsables del calentamiento global».

Yo sí los he oído varias veces. Hay que admitir que no suenan tan descabellados; de hecho, son los argumentos más utilizados por quienes cuestionan las razones del cambio climático. Hay un rasgo común en todos ellos: la evasión de responsabilidades. Es decir, en todas estas afirmaciones lo que se niega no es el cambio climático, sino que, de haberlo, no es posible que las personas seamos las culpables y, por tanto, no hay nada que podamos hacer al respecto, salvo resignarnos y seguir a lo nuestro. Esta forma de pensar es muy conveniente para las economías que dependen de los combustibles. Podemos creer eso, o creer que pensar lo contrario, que sí somos responsables, es conveniente para las economías que quieren depender de las energías renovables. El caso es que unos siempre salen perdiendo y otros salen ganando.

La primera vez que puse en duda la causa antropológica del cambio climático fue, paradójicamente, viendo un documental en el que se nos culpaba de ello. El documental era tan efectista, utilizaba tantas argucias demagógicas, que me hizo dudar de su veracidad. Parecía propaganda, propaganda electoral disfrazada de «verdad incómoda». Para argumentar, se mostraban datos exagerados que hacían que el problema pareciese peor de lo que es, se culpaba al cambio climático de algunos fenómenos naturales que nada tenían que ver con él, se aseguraba que habría una cantidad de muertes y enfermedades sobredimensionada. Todo esto aderezado con imágenes catastrofistas que se sucedían con un ritmo y una música terrorífica que hacía que todo aquello pareciese una farsa populista.

Cuando vas a contar algo serio, convertirlo en un espectáculo puede ser contraproducente. Por culpa de aquel documental, el más famoso que existe sobre el tema, puse en duda mis creencias y comencé a investigar más a fondo. Creí en la posibilidad de que la «verdad incómoda» era otra.

No lo llames *CLIMA* cuando quieres decir *TIEMPO*

A menudo existe confusión entre *tiempo y clima*: son dos conceptos distintos, y esa confusión a menudo se ve reflejada en los medios de comunicación.

El *tiempo* es el estado que presenta la atmósfera en un momento determinado, y viene reflejado por las características de esta en ese instante, siendo las principales la presión, el viento, la temperatura, la humedad, la visibilidad horizontal, la nubosidad, y la clase y cantidad de precipitación (lluvia, granizo...). En cambio, el *clima* se refiere al patrón atmosférico de un sitio durante un período lo suficientemente largo para producir promedios significativos.

Mientras que el tiempo viene reflejado por las características meteorológicas en un instante, y, en consecuencia, es algo puntual, el clima representa la media de esas características en un determinado lugar al cabo de muchos años. A veces, se puede leer en el periódico u oír en la radio o en la televisión frases como estas: «La climatología impidió la celebración del partido», «En el resultado influyó decisivamente la climatología» o «Un día de mala climatología». En los tres casos, la palabra *climatología* está mal empleada. Sus autores quieren dar a entender que las condiciones meteorológicas han influido en los acontecimientos, y en su lugar han empleado erróneamente la palabra *climatología*.

La meteorología estudia el tiempo, mientras que la climatología estudia el clima; ambas son ciencias atmosféricas. Afirmaciones del tipo «Si no podemos predecir con seguridad qué tiempo hará mañana en A Coruña, ¿cómo vamos a saber qué pasará dentro de trescientos años?» evidencian esta confusión entre *tiempo* y *clima*.

Hubo cambios climáticos en el pasado, pero este es distinto

Podríamos pensar que ha habido otros cambios climáticos naturales en el pasado y que por consiguiente el actual no puede haber sido originado por los humanos, sino que se trata de un cambio climático más. Somos plenamente conscientes de que otros cambios climáticos han ocurrido en el pasado. De hecho, el pasado nos da pistas cruciales sobre cómo nuestro planeta responde a los agentes climáticos. Nos permite ver qué sucede cuando la Tierra acumula calor, ya sea por mayor actividad solar o por el aumento de los gases de efecto invernadero.

Las evidencias climáticas y geológicas indican que se han producido unas treinta glaciaciones y sus respectivos calentamientos, y que es posible que estemos en uno de esos períodos. Además, constatamos que el sistema solar se está calentando. Aun así, estos dos argumentos no son suficientes para justificar el drástico aumento de las temperaturas. Nunca se había producido un calentamiento así en un período de tiempo tan corto. Por este motivo tiene que haber algo más que lo esté provocando.

La medición del aumento de temperatura es exactamente paralela al aumento del CO_2 resultante de las combustiones. Esta relación hace indudable el carácter antropogénico del cambio climático. Ya estábamos en una tendencia alcista de la temperatura (interglacial), como en otras épocas geológicas, pero el ritmo de progresión natural siempre ha sido muy lento, no como ahora, y más concretamente en el cortísimo espacio de tiempo que va desde el inicio de la industrialización hasta nuestros días, en que el aumento de la temperatura se ha acelerado a un ritmo inusual.

Si bien no podemos hacer nada por impedir las causas naturales, sí podemos actuar sobre aquellas que sabemos que están originadas por el comportamiento humano. Es decir, suponiendo que estemos en un ciclo de elevación de la temperatura, es incontestable que el hombre ha provocado una aceleración significativa de un proceso que tardaría miles de años en hacerse notar.

Estamos viviendo los comienzos de un cambio climático derivado de una elevación de la temperatura de la atmósfera, cuya causa principal es el efecto invernadero que producen los gases emitidos por la humanidad desde el comienzo de la industrialización.

El CO_2 en la atmósfera es responsable del calentamiento

El CO_2 atrapa la radiación infrarroja (comúnmente conocida como *radiación térmica*), con lo cual cabría esperar que el CO_2 de la atmósfera no dejara escapar la radiación térmica; en consecuencia, se produciría el calentamiento. Esta hipótesis ha sido demostrada en experimentos de laboratorio y por los satélites, que han descubierto que está escapando menos calor al espacio durante las últimas décadas a causa de los mayores niveles de CO_2.

Los satélites miden la radiación infrarroja que escapa al espacio como parte de los estudios del *efecto invernadero*. Una comparación entre los datos procedentes de los satélites entre 1970 y 1996 indica que cada vez se está liberando menos radiación al espacio en las longitudes de onda implicadas en el efecto invernadero. Esto ha sido confirmado por mediciones posteriores de varios satélites diferentes. Es una evidencia directa de que el aumento de CO_2 está causando calentamiento.

Otro hecho interesante que se ha observado es que, además de que el CO_2 hace aumentar la temperatura, el calentamiento hace aumentar el CO_2. Es decir, un fenómeno alimenta al otro, y esto hace que el efecto se maximice.

A lo largo de la historia hemos visto que en los núcleos de hielo se aprecia que los niveles de CO_2 aumentaron después de que las temperaturas subiesen. Este desfase entre la temperatura y el CO_2 significa que la temperatura afecta al nivel de CO_2 en el aire. Por consiguiente, el calentamiento produce un aumento en el nivel de CO_2, y el aumento en el CO_2 produce calentamiento. Si ponemos ambos factores juntos veremos que los dos hacen aumentar el cambio climático.

En el pasado, cuando el clima se volvió más cálido debido a cambios en la órbita de la Tierra, esto causó que los océanos liberasen más CO_2 a la atmósfera produciendo los siguientes efectos: se amplificó el calentamiento original y se extendió el efecto invernadero a todo el globo. El registro de núcleos de hielo es completamente coherente con tales efectos. De hecho, el dramático calentamiento con el que el planeta sale de una glaciación no puede ser explicado sin la realimentación del CO_2.

Con estos datos se ha elaborado una definición de la *sensibilidad del clima*, que mide cuánto aumenta la temperatura global si se duplica la concentración atmosférica de CO_2. Se ha estimado que, si así fuese, la temperatura subiría 1,2 grados Celsius.

Los humanos estamos aumentando los gases de efecto invernadero

Cada año liberamos en la atmósfera 20.000 millones de toneladas de CO_2. Las emisiones naturales procedentes de la respiración de las plantas y la liberación de gas de los océanos ascienden a 776.000 millones de toneladas al año. Nuestras emisiones pueden parecer pequeñas comparadas con las naturales. La parte que estaríamos obviando es que la naturaleza no solo emite CO_2; también lo absorbe. Las plantas lo respiran, y grandes cantidades se disuelven en el océano. La naturaleza absorbe 788.000 millones de toneladas cada año. Las absorciones de la naturaleza compensan aproximadamente las emisiones naturales. Lo que nosotros hacemos es descompensar ese balance.

Mientras que aproximadamente la mitad del CO_2 que emitimos es respirado por las plantas o disuelto en los océanos, la otra mitad permanece en el aire. Debido a la quema de combustibles fósiles, el nivel de CO_2 en la atmósfera se encuentra en las cotas más altas, al menos en los dos últimos millones de años. Y sigue aumentando.

Además, podemos evaluar si el CO_2 que medimos es natural o antropogénico; lo hacemos gracias a los isótopos de carbono. Los isótopos son átomos de carbono que tienen diferente número de neutrones, así que siguen siendo carbono, pero podemos identificarlos. El isótopo más común es el llamado carbono-12. Un isótopo más pesado es el carbono-13. Las plantas prefieren el más ligero carbono-12. Los combustibles fósiles —como el petróleo o el carbón— provienen de plantas antiguas; por ello, cuando quemamos estos combustibles, estamos liberando más carbono-12 a la atmósfera, desequilibrando el balance entre este y el carbono-13. Eso es exactamente lo que estamos observando en la atmósfera, en los corales y en las esponjas marinas: la proporción entre ambos se ha desequilibrado. Este hecho es una clara evidencia de que el aumento del CO_2 se debe a las emisiones humanas.

Las evidencias del calentamiento global

Para asegurarnos de que el calentamiento global está sucediendo tenemos que medir. Estas mediciones se han estado haciendo desde estaciones meteorológicas y satélites. Las estaciones meteorológicas pueden arrojar datos significativamente diferentes, ya que unas están mejor posicionadas que otras. Por eso es fundamental compararlas con las realizadas por los satélites. Tanto unas como otras muestran la misma «cantidad de calentamiento». Esto confirma que los termómetros están arrojando valores precisos.

Al igual que los convincentes registros de temperatura, también se dispone de un gran número de observaciones presenciales en muchos sitios diferentes que son coherentes con el calentamiento global. Las capas de hielo se están derritiendo, perdiendo miles de millones de toneladas de hielo al año. El nivel de los mares está subiendo a un ritmo acelerado. Las especies están migrando hacia los polos y los glaciares se están contrayendo (amenazando las reservas de agua de muchos millones de personas).

Para un correcto entendimiento del clima, necesitamos mirar todas las evidencias. Lo que obtenemos son muchas observaciones independientes, que apuntan —todas ellas— a la misma conclusión: el calentamiento global está ocurriendo.

Un protocolo internacional para frenar
el calentamiento global

El Protocolo de Kioto es un conjunto de reglas de la Convención Marco de las Naciones Unidas sobre el Cambio Climático, y un acuerdo internacional que tiene por objetivo reducir las emisiones de gases de efecto invernadero que causan el calentamiento global: CO_2, gas metano, óxido nitroso y gases fluorados, en un porcentaje aproximado al menos de un 5%, dentro del período que va de 2008 a 2012, en comparación con las emisiones de 1990. Esto no significa que cada país deba reducir sus emisiones de gases regulados en un 5% como mínimo, sino que este es un porcentaje a escala global, y, por el contrario, cada país partícipe en el protocolo tiene sus propios porcentajes de emisión que debe disminuir para reducir la contaminación global.

El protocolo fue inicialmente adoptado el 11 de diciembre de 1997 en Kioto, Japón, pero no entró en vigor hasta el 16 de febrero de 2005. En noviembre de 2009, eran 187 Estados los que lo ratificaron.

Estados Unidos, el mayor emisor de gases de efecto invernadero a nivel mundial, se ha negado a firmarlo. Con apenas el 4% de la población mundial, este país consume alrededor del 25% de la energía fósil y es el mayor emisor de gases contaminantes del planeta.

La Unión Europea, como agente especialmente activo en la concreción del protocolo, se comprometió a reducir sus emisiones totales medias durante el período 2008-2012 en un 8% respecto de las de 1990. No obstante, a cada país se le otorgó un margen distinto en función de diversas variables económicas y medioambientales, según el principio de «reparto de la carga».

En la XVIII Conferencia de las Partes (COP-18) sobre cambio climático se ratificó el segundo período de vigencia del Protocolo de Kioto desde el 1 de enero de 2013 hasta el 31 de diciembre de 2020. La duración de este segundo período será de ocho años, con metas concretas para el año 2020. Sin embargo, este proceso denotó un débil compromiso de los países industrializados, tales como Estados Unidos, Rusia y Canadá, los cuales decidieron no respaldar la prórroga.

Los países en vías de desarrollo, por razones obvias, no están obligados a cumplir las metas cuantitativas fijadas por el Protocolo de

Kioto. Aun así, un país como Argentina, con aproximadamente el 0,6 % del total de las emisiones mundiales, sí ratificó el acuerdo.

Las formas de reducir las emisiones de gases de efecto invernadero consensuadas pasan por reducir el uso de combustibles fósiles y utilizar otras fuentes de energía en su lugar, combinando las llamadas energías renovables con una clara apuesta por la energía nuclear, clave para la mitigación del calentamiento global.

El cambio climático es irreversible. Incluso aunque consiguiésemos eliminar por completo todas nuestras emisiones de efecto invernadero (un objetivo harto difícil), enseguida se alcanzaría un nuevo equilibrio en el ciclo del carbono, manteniendo estable la concentración atmosférica del CO_2 durante al menos mil años, de modo que la temperatura se estabilizaría, pero no descendería. Aun así, los análisis económicos concluyen que el coste de la inacción supera con creces los costes de las medidas de mitigación. El análisis más exhaustivo en este sentido es el *Informe Stern*, que estima que los costes de la mitigación están en torno al 1 % del producto interior bruto (PIB), mientras que el coste de no tomar medidas puede llegar al 20 % del PIB. Mitigar el cambio climático es económicamente rentable.

Conclusión

El cambio climático es un hecho. Nadie lo niega. Lo que una minoría ha puesto en tela de juicio es que ese cambio climático lo hayamos causado nosotros con nuestros combustibles. La realidad nos la ofrecen los datos, y hay una correlación innegable entre el aumento de temperatura y el aumento en las emisiones de CO_2.

La controversia sobre el calentamiento global es una discusión mediática y política, no científica, acerca de la existencia, la naturaleza, las causas y las consecuencias del calentamiento global antropogénico. El consenso científico es abrumador.

En otras épocas ha habido otros cambios climáticos, pero el aumento de la temperatura nunca había sido tan drástico y en un período tan corto como el que estamos sufriendo ahora. No hay duda de que somos responsables.

Burch, D. E., «Investigation of the Absorption of Infrared Radiation by Atmospheric Gases», en *Semi-annual Technical Report, AFCRL*, 1970, 2, <http://www.dtic.mil/dtic/tr/fulltext/u2/702117.pdf>.

Cook, John, *Guía científica ante el escepticismo sobre el calentamiento global,* en «Skepticalscience», 2010, <www.skepticalscience.com/docs/Guide_Skepticism_Spanish.pdf>.

Harries, J. E.; *et al.*, «Increases in Greenhouse Forcing Inferred from the Outgoing Longwave Radiation Spectra of the Earth in 1970 and 1997», en *Nature*, 15 de marzo de 2001, 410, págs. 355-357.

Jones, G.; Tett, S.; y Stott, P., «Causes of Atmospheric Temperature Change 1960-2000: A Combined Attribution Analysis», en *Geophysical Research Letters*, 11 de marzo de 2003, 30(20), <http://onlinelibrary.wiley.com/doi/10.1029/2002GL016377/full>.

Laštovi, J.; Akmaev, R. A.; Beig, G.; Bremer, J.; y Emmert, J. T., «Global Change in the Upper Atmosphere», en *Science*, noviembre de 2006, 314(5803), págs. 1.253-1.254.

Manning, A. C.; y Keeling, R. F. «Global Oceanic and Land Biotic Carbon Sinks from the Scripps Atmospheric Oxygen Flask Sampling Network», en *Tellus*, 2006, 58, págs. 95-116.

Rosino, Jesús, «Cambio climático I: detección y atribución», en *Naukas*, 11 de diciembre de 2012, <http://naukas.com/2012/12/11/cambio-climatico-i-deteccion-y-atribucion/>.

—, «Cambio climático I: impactos, mitigación y adaptación», en *Naukas*, 12 de diciembre de 2012, <http://naukas.com/2012/12/12/cambio-climatico-ii-impactos-mitigacion-y-adaptacion/>.

Santer, B. D.; *et. al.*, «Contributions of Anthropogenic and Natural Forcing to Recent Tropopause Height Changes», en *Science*, julio de 2003, 301(5632), págs. 479-483.

Stern, Nicholas, *Stern Review on the Economics of Climate Change*, Cambridge, 2010.

Yus Ramos, Rafael, «El negacionismo frente al cambio climático: entre los intereses corporativos y el escepticismo exhibicionista», en *El Observador*, 2010, <http://revistaelobservador.com/images/stories/envios_14/octubre/yus_octubre.pdf>.

22. El vinagre, la alternativa al herbicida tóxico glifosato
Mitos del medioambiente

En la ciudad en la que vivo se instalaron carteles y se hicieron pintadas en multitud de parques y jardines urbanos proclamando: «Ciudad libre de herbicidas tóxicos. Ahora sí». La primera vez que vi uno de estos carteles fue paseando por un parque. La gente estaba alrededor, preguntándose qué significaba aquello.

El mensaje que se desprende de esos carteles y pintadas me pareció bastante controvertido. En primer lugar, los herbicidas son, por definición, sustancias tóxicas, es decir, se utilizan para exterminar parte de la vegetación, así que han de ser tóxicas para ellas, de lo contrario no servirían para nada. En segundo lugar, lo primero que pensamos al leer la palabra *tóxico* es que es dañino para las personas, lo que hizo que me preguntase qué significa eso de «Ahora sí». ¿Acaso hasta ahora se estaban empleando herbicidas dañinos para la salud en los parques en los que juegan nuestros niños y corretean nuestros animales?

Todos los productos fitosanitarios están regulados. Tenemos una lista de cuáles se pueden utilizar y en qué condiciones. Es decir, ¿se estuvo incumpliendo la ley y ahora han decidido decirnos que van a cumplirla? ¿En qué cabeza cabe hacer propaganda de que un ayuntamiento va a empezar a cumplir una ley sanitaria?

Todo esto no tenía ningún sentido para mí, y, lo peor de todo, la gente del parque estaba alarmada. Se preguntaban si había sustancias tóxicas en aquel parque, si había ocurrido algo allí. Saqué mi teléfono del bolsillo y escribí: «Ciudad libre de herbicidas tóxicos. Ahora sí».

215

Resulta que los carteles se referían a una medida que no solo afectaba a mi ciudad, sino a otras poblaciones de España que se habían sumado a la iniciativa. La medida consistía en que no volverían a utilizar un herbicida en concreto, el glifosato, y que en su lugar utilizarían otro herbicida que llamaban *vinagre*. Al leer eso se me pasó el susto y les expliqué a las personas que estaban en el mismo parque que yo, frente al cartel, que no se preocupasen, que nada había cambiado, que aquel parque era tan seguro como cualquier otro, ahora y antes. Las razones, a continuación.

Qué es el glifosato y cómo funciona

El glifosato es el herbicida más utilizado en el mundo. Se usa en jardinería, en las vías de tren, en las lindes de los caminos y en las ciudades para evitar el crecimiento desmedido de maleza en las aceras. Se usa también para inyectarlo en troncos y tocones como herbicida forestal y como herbicida agrícola. Es el principio activo de numerosos herbicidas comerciales.

Fue sintetizado por primera vez en los años cincuenta. En 1970, John E. Franz, químico de la compañía Monsanto, descubrió sus efectos herbicidas. Empezó a comercializarse en 1974 bajo el nombre de Roundup.

El éxito del Roundup llegó en los años noventa, cuando se empezaron a comercializar plantas genéticamente modificadas inmunes al efecto del glifosato. Esto permitía utilizar intensivamente el herbicida para eliminar las malas hierbas sin afectar al cultivo principal. La patente comercial de Monsanto acabó en el año 2000, con lo que desde entonces el glifosato comenzó a utilizarse libremente en herbicidas genéricos, popularizándose todavía más, ya que es barato y muy eficaz.

Hasta ese momento se usaban herbicidas específicos para cada planta. En cambio, el glifosato no es selectivo. Su aplicación también es muy sencilla. Se pulveriza sobre las hojas y tallos un preparado que penetra en la planta, y así la molécula comienza a circular por sus tejidos. El glifosato inhibe la ruta de biosíntesis de aminoácidos aromáticos, la ruta del shikimato (anión del ácido shikímico), es decir, el glifosato inhibe una enzima crucial para la fabricación de ciertos aminoácidos esenciales para la vida de la planta. Esta enzima no existe en seres humanos y demás animales. Al ser esta una ruta exclusiva de las plantas, no tiene toxicidad apreciable en animales. Sustancias de uso común como la cafeína o el paracetamol tienen índices de toxicidad mayores que el glifosato.

Otra característica importante es que tiene una vida media muy corta, de tan solo veintidós días antes de biodegradarse. Esto hace difícil que sus efectos acumulativos tengan un impacto significativo a medio-largo plazo.

¿El glifosato es cancerígeno?

El glifosato nunca se ha llegado a prohibir. Durante años se ha cuestionado su seguridad, enfrentando a diferentes organismos. Algunos grupos ecologistas lo tienen en el punto de mira, convencidos de su supuesta acción cancerígena. Sus protestas son encendidas y continuadas.

El uso del herbicida goza de una prórroga hasta diciembre de 2017, ya que los Estados miembros de la Comisión Europea no consiguieron ponerse de acuerdo para renovar o no la autorización en mayo de 2017. Las razones tienen que ver con la aparente falta de unanimidad de las autoridades científicas sobre los riesgos que entraña para la salud. Hasta marzo de 2015, los informes sobre un posible vínculo entre cáncer en humanos y glifosato habían sido negativos. Esa primavera estalló el conflicto. La Agencia Internacional para la Investigación del Cáncer (IARC), que depende de la OMS, incluyó el pesticida en el controvertido grupo 2A, es decir, como «probable cancerígeno». Un dato que tener muy en cuenta es que esta lista de la IARC se elabora según el nivel de evidencia que existe, y no sobre los efectos o riesgos que tienen las sustancias. En esa misma categoría figura, por ejemplo, trabajar en una peluquería, en una freiduría, el consumo de hierba mate caliente o de carne roja. Una persona debería comer por día alrededor de 16,8 kilos de soja recién tratada con glifosato durante dos años para igualar la dosis que se ha planteado como cancerígena.

A finales de 2015, la EFSA publicó una nueva evaluación, más exhaustiva, en la que concluía que este herbicida «es improbable que suponga un riesgo cancerígeno para los seres humanos». Este informe provocó una reacción inmediata de algunos colaboradores de la IARC, que escribieron una carta a la EFSA con reproches sobre la metodología de su evaluación. De igual manera, la EFSA respondió a la IARC cuestionando las limitaciones de los estudios que habían incluido en el suyo. Esta confrontación ha hecho dudar de la independencia de los estudios presentados por ambas partes y de los supuestos intereses de unos y otros. Por este motivo, la Unidad de Pesticidas de la EFSA publicó un metaestudio —un estudio que valoró todas las publicaciones científicas sobre el tema hasta la fecha— en el que se han tenido en cuenta más de mil quinientos estudios científicos sobre el glifosato. La conclusión del metaestudio es que el glifosato no es ni cancerígeno ni tóxico.

A pesar de la contundencia de este metaestudio, Alemania solicitó a la Agencia Europea de Sustancias y Mezclas Químicas (ECHA) otra evaluación en la que ha tenido en cuenta los informes originales de estudios realizados por la industria sobre los posibles riesgos derivados del uso del herbicida, y también los datos científicos relevantes recibidos durante la consulta pública que se convocó en el verano de 2016. En marzo de 2017 anunció unas primeras conclusiones que cayeron como un jarro de agua fría a los detractores del producto químico: la evidencia científica disponible no reúne los criterios para clasificar el glifosato como cancerígeno ni tóxico.

Hoy en día, hay herbicidas y pesticidas en uso mucho más tóxicos. Las atrazinas, por ejemplo, se siguen usando, y son más problemáticas medioambientalmente porque utilizan vías que no son exclusivas de las plantas (como en el caso del glifosato) y atacan a los anfibios erosionando el medio en el que se encuentran. Sin irnos muy lejos, tenemos también el Paraquat, un pesticida de uso relativamente común que es extremadamente tóxico para el ser humano y puede producir vómitos, quemaduras o problemas neurológicos serios.

No está claro cuál es el criterio para eliminar unos productos y no otros más peligrosos. Este es, de hecho, el principal argumento de la «guerra contra el glifosato». La historia nos muestra cómo, a veces, se instalan estados de ánimo (o de histeria colectiva) que sin ser ridículos tienen un impacto muy importante en la vida de las personas. Legislar desde el estado de ánimo y no desde la evidencia científica genera alarma y desconfianza.

Eso fue lo que sucedió en todas las ciudades españolas que se declararon «libres de herbicidas tóxicos» refiriéndose al glifosato, que generaron más alarma que tranquilidad. De todos modos, hay que tener en cuenta que la medida no entra en el ámbito privado porque el herbicida glifosato está autorizado en el Estado español, de manera que solo se puede restringir en el uso público. Es decir, afecta exclusivamente a parques y jardines públicos, no a explotaciones agrícolas u otros terrenos privados.

La prudencia es, en general, una virtud. Es comprensible que las autoridades quieran proteger a sus ciudadanos de posibles riesgos para la salud. Pero un exceso de celo también es problemático. Hoy por hoy, la prohibición del glifosato tendría como consecuencia directa el encarecimiento de la comida, además de contribuir a un estado generalizado de alarma sin evidencia científica que podría ser muy peligroso.

La prohibición del DDT reactivó los casos de malaria

En 1874, Othmar Zeidler sintetizó por accidente el dicloro difenil tricloroetano. Más de medio siglo después, en 1939, Paul Hermann Müller descubrió su uso como insecticida, y, comercializado por Geigy bajo el nombre de DDT, se utilizó durante la segunda guerra mundial y los años posteriores para controlar con mucho éxito la malaria y la fiebre amarilla. Fue tanto el éxito que en 1948, a Müller se le concedió el Nobel de Medicina.

Ese mismo año se comenzó a utilizar en Sri Lanka para tratar de controlar la epidemia de paludismo que sufría ese país. Hubo dos millones y medio de casos de malaria en 1948; treinta y uno en 1962; y solo diecisiete en 1963.

En 1962, se publicó *Primavera silenciosa*, un libro que inició una campaña mundial contra el DDT. Su impacto fue impresionante, un espaldarazo a la conciencia del medio ambiente que motivó, en último término, la creación de la Agencia de Protección del Medio Ambiente de Estados Unidos (EPA) en 1970, que acabaría dando lugar a Greenpeace. A pesar de haber controlado la epidemia de paludismo y los casos de malaria, en 1964 Sri Lanka prohibió el uso del DDT. Desgraciadamente en 1970 volvieron a alcanzar las cifras de malaria de los años cuarenta.

Prohibir el DDT en Sri Lanka, la India o Bangladesh no fue una mala decisión ecológica o medioambiental, pero fue una nefasta decisión sanitaria y humana. Sin suficiente evidencia científica, el celo desmedido que creó la alarma mundial contra el DDT dejó a muchos países sin su mejor arma contra enfermedades como el paludismo y la fiebre amarilla.

El DDT pudo haber salvado vidas, ya que es capaz de aniquilar al mosquito que transmite la malaria, la fiebre amarilla o el tifus, pero no habría sido a coste cero. En el siglo XX se utilizó intensamente como insecticida tradicional, pero, tras una campaña mundial que alegaba que este compuesto se acumulaba en las cadenas tróficas, ocasionando desórdenes reproductivos, y, ante el peligro de contaminación de los alimentos, se prohibió su uso. En 1972, la EPA prohibió casi todos los usos del DDT.

Impacto medioambiental del uso excesivo de herbicidas

La primera norma para el uso de pesticidas, herbicidas y medicamentos de la legislación europea es que solo se usen cuando sean necesarios. Un uso excesivo supone infringir la normativa.

Aunque el glifosato desaparece pronto del medioambiente —tarda unos veintidós días en descomponerse en moléculas inocuas—, el exceso de uso en algunos lugares está teniendo efectos negativos.

El mayor problema del glifosato se refiere al medio acuático, ya que está catalogado como tóxico en este medio. En el suelo, si no llueve en las cuatro o cinco horas posteriores a la aplicación, no tiene problema, porque es un producto biodegradable. Si lloviese nada más aplicarlo, podría alcanzar cursos de aguas subterráneas y contaminarlas. Por ello es muy importante cumplir las recomendaciones de aplicación y no infringir la normativa de uso.

Otro factor que hay que tener en cuenta es que los herbicidas acaban con plantas que son fuente de alimento para especies beneficiosas para el ser humano, como los polinizadores, y para los depredadores que atacan a las plagas que afectan a nuestros cultivos. Sin embargo, el glifosato no es el culpable: el herbicida que más afecta a los polinizadores es el Spinosad, que, paradójicamente, es un insecticida autorizado en la agricultura ecológica.

Un ejemplo de mal uso de herbicidas con respecto a otras especies lo encontramos en América, donde el glifosato se utiliza en cultivos de soja y maíz resistentes a este herbicida. Uno de los efectos que se ha observado en ese continente es el declive de la mariposa monarca. Estos frágiles insectos protagonizan una de las migraciones más largas e impresionantes: viajan de Canadá a México. Cada año hay menos. En 1997, la población era de 682 millones; en 2015 había disminuido a 42 millones. Una de las causas es la desaparición del algodoncillo, la planta donde ponen sus huevos y de la que se alimentan las orugas. El glifosato lo mata como hace con el resto de las «malas hierbas» de los campos de cultivo.

Desde su definición, el concepto de *mala hierba* alude a un aspecto negativo (aquella que crece y se desarrolla interfiriendo en los intereses del ser humano, ya sea en un campo de cultivo, reduciendo la producción agrícola, o en un jardín al desplazar a las especies ornamentales o al invadir viales). Pero una mala hierba es una especie vegetal que solo busca para ella las mejores condiciones de vida, y no podemos perder de vista sus aspectos positivos, como servir de alimento y refugio a la fauna beneficiosa para la agricultura, elevar los niveles de biodiversidad en el ecosistema agrícola, mantener un equilibrio ecológico fundamental para el control de las plagas, etcétera.

En Europa, y más concretamente en España, el glifosato se utiliza en entornos urbanos, para labores de jardinería, para limpiar la maleza de las aceras, las vías del tren o las lindes entre las zonas verdes y el asfalto. El problema no está en el glifosato, sino en la obsesión por eliminar las llamadas *malas hierbas* sin tener en cuenta el impacto ambiental que eso puede suponer. Cualquier otro herbicida o cualquier otro tipo de tratamiento con mejor prensa tiene como objetivo eliminar estas plantas. En muchos casos, sobre todo cuando se trata de entornos más o menos urbanos, como parques o jardines, el objetivo es mantener una estética aséptica y ordenada del mundo natural. En cambio, en la red de ferrocarriles, en las pistas de los aeropuertos o en las carreteras, su supresión se hace por seguridad. Incluso en las ciudades en las que se ha prohibido el uso de glifosato en el entorno público, sigue estando permitido en estos casos en los que la seguridad no puede verse comprometida.

No es una buena idea utilizar vinagre como herbicida

En principio, el uso del vinagre para eliminar las malas hierbas puede parecer bastante inocuo, pero esta práctica podría no ser segura. Al llamarlo *vinagre*, pensamos en el vinagre que utilizamos para comer, y, claro, si algo es comestible, ¿cómo va a ser tóxico? Hay otro argumento de menor calado intelectual, el que relaciona lo natural con lo bueno y lo sintético con lo malo.

El vinagre contiene ácido acético, normalmente producido por fermentación bacteriana. En concentraciones necesarias para eliminar plantas, el vinagre deja de ser un ingrediente para aliñar ensaladas para convertirse en un herbicida no muy saludable para el huerto o jardín. El vinagre de uso alimenticio suele tener aproximadamente un 5 % de ácido acético, mientras que el *vinagre* que se vende para uso en huertas y jardines es una disolución de acético que puede llegar a concentraciones de un 20 % o 30 % de ácido.

El efecto de estas disoluciones de ácido acético sobre la planta es de quemadura. En tan solo veinticuatro horas, es capaz de quemar las plantas, aunque muchas veces, si la planta es adulta, las raíces pueden quedar intactas y puede rebrotar, especialmente si es perenne. Por eso, en un principio puede parecer que funciona para eliminar las plantas no deseadas, pero normalmente es solo en apariencia.

Las disoluciones de acético son herbicidas ácidos, lo suficientemente ácidos como para alterar el pH del suelo y modificar su estructura. A partir de una concentración del 20 % son, además, agentes corrosivos; a partir del 90 % se vuelven inflamables.

Si la disolución tiene más de un 10 % de concentración de ácido acético, puede producir daños personales, como quemaduras en la piel y en los ojos. Si alcanza una concentración del 20 %, la utilizada en herbicidas, llega a ser corrosiva y puede incluso producir ceguera si entra en contacto con los ojos. Al margen del caso del uso del acético como herbicida, es importante que quien lo maneje como herbicida siempre lleve puesto un equipo de protección, con guantes y gafas. Tampoco se debe mezclar este tipo de equipo con herramientas y utensilios que usamos en la huerta o en el jardín para otros cometidos.

El ácido acético concentrado al 20 % utilizado como herbicida, manejado adecuadamente, no supone un grave riesgo para la salud, pero sí puede causar escozor en la garganta y en los ojos de los paseantes, así como en sus hijos o mascotas, si juegan en esos espacios.

También hay que tener en cuenta que el olor avinagrado del acético será intenso en la ciudad, algo que más de uno encontrará molesto. No es en sí mismo un daño medioambiental, pero sí repercute en la calidad de vida.

Las repercusiones que conlleva el uso del acético como herbicida en el medioambiente de nuestros jardines son los daños que puede producir a la fauna auxiliar, como sapos, salamandras e insectos beneficiosos que viven en las plantas silvestres.

Conclusión

El glifosato no es ni tóxico para las personas ni potencialmente cancerígeno. Esa es la evidencia científica. Sin embargo, se ha articulado toda una guerra contra él. La razón más probable de esta guerra es que el glifosato fue descubierto y comercializado en los inicios por la compañía Monsanto. Para algunos, Monsanto es algo así como el gran villano de la industria agrícola, y cualquier invento suyo tiene, de serie, un halo de maldad. Ese fue el detonante de la farsa ecologista contra el glifosato que algunas ciudades lideran con ridículo orgullo.

Utilizar una disolución con una alta concentración de acético en lugar de glifosato no supone ninguna mejora, ni para la salud y la seguridad de las personas, ni para el medioambiente; es mucho menos efectivo. Aparentemente acaba con las malas hierbas porque las quema, pero estas resurgen rápidamente. Es irritante y tiene un olor molesto. No es la panacea de los herbicidas. Llamar *vinagre* a estas disoluciones es una estrategia de manipulación: hacer que algo parezca más bueno de lo que lo es.

Prohibir los herbicidas con glifosato es anteponer la ideología a la evidencia científica, llevando las emociones por bandera. Eso tiene nombre.

PRINCIPALES FUENTES CONSULTADAS

Benavente, Rocío P., «Castellón y la pseudociencia: usará un herbicida irritante en plazas y parques», en *El Confidencial*, 6 de octubre de 2015.

Brookes, G.; Taheripour, F.; Tyner, W. E., «The Contribution of Glyphosate to Agriculture and Potential Impact of Restrictions on Use at the Global Level», *GM Crops Food*, octubre de 2017.

EFSA, «Conclusion on the Peer Review of the Pesticide Risk Assessment of the Active Substance Glyphosate», en *European Food Safety Authority Journal*, 2015, 13(11), págs. 4.302-4.409.

García, María, «A Coruña se convierte en una de las ciudades españolas que no utiliza herbicidas tóxicos en la limpieza viaria y de jardines», en *Coruña Hoy*, 1 de diciembre de 2016.

Jiménez, Javier, «Glifosato: verdades y mentiras del herbicida más vendido del mundo», en *Xataka*, 9 de marzo de 2016, <www.xataka.com/ecologia-y-naturaleza/glifosato-verdades-y-mentiras-del-herbicida-mas-vendido-del-mundo>.

Martins, Alejandra, «Herbicidas con glifosato: amenaza para las mariposas monarca», en BBC, 28 de septiembre de 2011.

Mulet, J. M., «Glifosato, Mentiras y blogs ecologistas», en *Naukas*, 22 de abril de 2015.

OMS, *Glyphosate Environmental Health Criteria*, monográfico n.º 159, Ginebra, Organización Mundial de la Salud, 1994.

Tarazona, J. V.; *et al.*, «Glyphosate Toxicity and Carcinogenicity: A Review of The Scientific Basis of the European Union Assessment and its Differences with IARC», en *Archives Toxicology*, agosto de 2017, 91(8), págs. 2.723-2.743.

Thogmartin, W. E.; *et al.*, «Monarch Butterfly Population Decline in North America: Identifying the Threatening Processes», en *Royal Society Open Science*, 23 de octubre de 2017, <http://rsos.royalsocietypublis hing.org/content/royopensci/4/9/170760.full.pdf>.

Valenzuela, América, «Glifosato, el herbicida maldito», en *El Independiente*, 2017.

Zaya, David N.; Pearse, Ian S.; Spyreas, Greg, «Long-Term Trends in Midwestern Milkweed Abundances and Their Relevance to Monarch Butterfly Declines», en *BioScience*, 1 de abril de 2017, 67(4), págs. 343-356.

23. Los alimentos transgénicos, un problema sanitario y medioambiental
Mitos del medioambiente
Mitos de la salud

Mi personaje favorito de «Los Simpson» es Lisa. Diría que es porque he vivido situaciones muy similares a las de ella, como en el capítulo «El hombre que creció demasiado». En este episodio, Lisa descubre que en el comedor del colegio utilizan alimentos transgénicos, y que esa es la razón por la que cada martes reciclan los ingredientes para hacer tacos, porque no se estropean nunca. Lisa propone tratar el tema de los transgénicos en una reunión escolar a la que acuden padres y alumnos. Para tratar la cuestión, el director Seymour Skinner ve en su ordenador el primer vídeo que aparece tras buscar en internet «¿transgénicos peligro?». En el vídeo se ve a un grupo de científicos amasando dinero y objetos de oro. «Si hay algo que aman los científicos es el dinero. Dinero. Dinero. Y eso es así desde los hombres de las cavernas.» «Los mayas no escucharon» —y sale una mazorca de maíz gigante comiéndose a los mayas—. «Estamos condenados a repetir un evento que destruyó toda la vida humana.» Al final de la reproducción, Lisa se dirige a los asistentes y les dice que ese vídeo no parece tener demasiado rigor científico. Les pide que nadie se forme una opinión en su ausencia. «¡Date prisa, no tenemos mente propia!», dice el jefe del Departamento de Policía de Springfield. Lisa se va a buscar pruebas y, cuando se ha hecho de noche, vuelve con otros argumentos: «Yo digo que no prohibamos categóricamente los transgénicos. Los transgénicos resisten plagas, enfermedades y sequía. Es posible que terminen con el hambre en el mundo». El auditorio lo celebra.

Al día siguiente, la familia Simpson acude a un bufé benéfico organizado por la compañía biotecnológica Monsarno —nombre que se parece al de la famosa compañía Monsanto, diana de las críticas de todos los movimientos antitransgénicos—. Una representante de Monsarno invita a la familia a ver sus laboratorios. Lisa está feliz al ver que la empresa invierte en ciencia y que tiene a muchos investigadores trabajando en ella. Al final de la visita conocen al director científico de la compañía, que, sorpresa, resulta ser el actor secundario Bob, el que trató de matar a su hermano Bart Simpson temporadas atrás. ¿Cómo un hombre tan malvado lidera una compañía que hace cosas tan buenas? Lisa se encuentra en una encrucijada ideológica.

¡Cuántas veces he pasado por situaciones así!

Cuando buscamos información en internet sobre los transgénicos, encontramos dos bandos claramente diferenciados. Los que los defienden a ultranza y los muestran como la solución al hambre en el mundo, y los que acusan a los transgénicos de destruir el medioambiente, de causar enfermedades y de desequilibrar todavía más el reparto de la riqueza. Hay poco espacio en las redes para las posturas moderadas. Algunos piensan que resultan menos convincentes. Sin embargo, la posición más razonable en estos casos es mantenerse en un punto intermedio: quizá no son tan malos y quizá no son tan buenos.

¿Destruyen el medioambiente, pero solo un poco? ¿Causan enfermedades, pero solo un poco? ¿Acaban con el hambre, pero solo un poco? El punto intermedio no tiene sentido. Desconfiar de una tecnología porque las políticas o la gerencia de una compañía que la comercializa no nos cae en gracia, como le sucede a Lisa Simpson, tampoco es inteligente. Como siempre, la respuesta está en lo que verdaderamente sabemos de los transgénicos, no en lo que opinen unos y otros.

¿Qué es un transgénico?

Todos los seres vivos tenemos genes, ya se trate de humanos, plantas o animales. La ingeniería genética es la ciencia que manipula secuencias de ADN. Estas secuencias de ADN normalmente codifican genes y esos genes son los que almacenan la información genética, es decir, las instrucciones de los organismos: desde cómo son por fuera a cómo funcionan por dentro.

Un organismo genéticamente modificado (OGM) es un organismo cuyo material genético ha sido alterado usando técnicas de ingeniería genética para obtener unas características deseadas. La ingeniería genética permite modificar organismos mediante varias técnicas. Una de ellas es la transgénesis, que da como resultado los llamados *transgénicos*. Así que lo que coloquialmente llamamos *transgénico* realmente es un tipo de OGM.

Dicho de forma sencilla: un transgénico es un organismo que lleva un trozo de ADN de otro organismo, y se ha obtenido por modificación genética.

Breve historia de los alimentos transgénicos

A través de la ingeniería genética, una rama de la biotecnología, manipulamos las secuencias de ADN. Podemos introducir un fragmento de ADN de un organismo en el ADN de otro, así como modificarlo o eliminarlo. La ingeniería genética se diferencia del mejoramiento genético clásico basado en la selección en que modifica los genes de una población de forma indirecta, mediante cruces dirigidos.

La práctica de modificar genéticamente las especies acompaña a la humanidad desde sus orígenes. La domesticación es el proceso por el cual una población de una determinada especie animal o vegetal pierde, adquiere o desarrolla ciertos caracteres morfológicos, fisiológicos o de comportamiento, los cuales son heredables y, además, el resultado de una interacción prolongada y de una selección artificial por parte del ser humano, o una selección natural adaptativa a la convivencia con el ser humano. Desde los orígenes hemos estado domesticando plantas y animales, a partir de la invención de la agricultura en el Neolítico y desde que tenemos animales domésticos, animales que se emplean en trabajos de labranza y animales que sirven de alimento.

Las zanahorias originales eran blancuzcas y pequeñas. Las zanahorias naranjas y lustrosas de la actualidad han sido fruto de la selección artificial de la agricultura. Lo mismo ocurrió con los tomates, que eran pequeños y de color amarillo; no se parecen a los tomates que consumimos en la actualidad. Esto ha sucedido con la mayor parte de los alimentos que consumimos, que apenas guardan parecido con su original silvestre.

La mejora de los alimentos ha sido un motivo común en la historia de la humanidad. Entre el año 12000 y el 4000 a. C. ya se realizaba una mejora por selección artificial de las plantas. Tras el descubrimiento de la reproducción sexual en vegetales, en 1876 se realizó el primer cruzamiento intergenérico (es decir, entre especies de géneros distintos). En 1927 se obtuvieron plantas de mayor productividad mediante irradiación con rayos X de sus semillas, y en 1983 se produjo la primera planta transgénica.

A principios de los años ochenta del siglo pasado, unos biotecnólogos lograron aislar un gen e introducirlo en el ADN de la bacteria *Escherichia coli (E. coli)*. En 1986, la compañía dedicada a la biotecnología Monsanto crea la primera planta genéticamente modificada. Se trata de una planta de tabaco a la que se añadió un gen de resistencia para el antibiótico kanamicina. Finalmente, en 1994, se aprueba la comercialización del primer alimento modificado genéticamente, los tomates Flavr Savr, creados por Calgene, otra empresa biotecnológica. A estos se les introdujo un gen que tenía como efecto la degradación de las paredes celulares en los frutos maduros, de manera que el fruto aguanta más tiempo sin estropearse una vez cosechado, y tiene mayor resistencia a los daños por su manipulación, como rasguños o golpes. Pero pocos años después, en 1996, este producto fue retirado porque fue un fracaso comercial, en gran medida a causa de su insipidez. Estos tomates se siguen usando para la elaboración de conservas y zumos.

En el año 2014, los cultivos de transgénicos se extienden en 181,5 millones de hectáreas de veintiocho países, de los cuales veinte están en vías de desarrollo. En el año 2015, en Estados Unidos, el 94 % de las plantaciones de soja eran de variedades transgénicas, así como el 89 % del algodón y el 89 % del maíz.

Recientemente se están desarrollando los primeros transgénicos animales. El primero en ser aprobado para el consumo humano en Estados Unidos fue un salmón de AquaBounty (2010), que era capaz de crecer en la mitad de tiempo y durante el invierno gracias al gen de la hormona de crecimiento de otra especie de salmón y al gen «anti-congelante» de otra especie de pez.

¿Para qué hacemos alimentos transgénicos?

Los caracteres introducidos mediante ingeniería genética en especies destinadas a la producción de alimentos comestibles buscan el incremento de la productividad (por ejemplo, mediante una resistencia mejorada a las plagas), así como la introducción de características de calidad nuevas. Debido al mayor desarrollo de la manipulación genética en especies vegetales, todos los alimentos transgénicos se corresponden con derivados de plantas. Por ejemplo, un carácter empleado con frecuencia es la resistencia a herbicidas, puesto que de este modo es posible emplearlos afectando solo a la flora ajena al cultivo. Cabe destacar que el empleo de variedades modificadas y resistentes a herbicidas ha disminuido la contaminación debida a estos productos en acuíferos y suelos.

Las plagas de insectos son uno de los elementos más devastadores en agricultura. Por esta razón, la introducción de genes que provocan la resistencia a algunos insectos ha sido un elemento común de muchas de las variedades transgénicas. Las ventajas de este método suponen un menor uso de insecticidas en los campos sembrados con estas variedades, lo que redunda en un menor impacto en el ecosistema que alberga el cultivo, y en un menor riesgo para la salud de los trabajadores que manipulan los fitosanitarios.

El uso de especies transgénicas en la agricultura no solo aumenta la productividad promedio al minimizar las plagas de insectos y la maleza, sino que también hace un uso más racional de los agroquímicos, reduciendo los costes económicos, sanitarios y ambientales asociados. Los cultivos transgénicos también presentan mayor resistencia a climas adversos y crecen en tierra seca y salina.

Los alimentos transgénicos comenzaron a diseñarse para beneficiar al agricultor y al medioambiente. Pero la tendencia actual es producir transgénicos que además beneficien al consumidor. Algunos de estos alimentos transgénicos beneficiosos son el arroz dorado —rico en vitamina A, diseñado específicamente para que se cultive en países subdesarrollados en los que el arroz es la base de la dieta—, el trigo apto para celíacos, los alimentos ricos en antioxidantes o el maíz BT —resistente a las plagas de taladro y que acumula menor cantidad de micotoxinas.

El maíz BT produce una proteína de origen bacteriano, la proteína Cry, producida naturalmente por *Bacillus thuringiensis* (de ahí el nombre BT). Esta proteína es tóxica para las larvas de insectos barrenadores del tallo, comúnmente llamados taladro, que mueren al comer sus hojas o tallos.

Es seguro comer alimentos transgénicos

Sí, es seguro. Se han aprobado más de cien cultivos transgénicos para consumo tanto humano como animal en un lapso de quince años, y de acuerdo con la OMS, son tan seguros como los convencionales. Los científicos resaltan que el peligro para la salud se ha estudiado pormenorizadamente en todos y cada uno de estos productos que hasta la fecha han obtenido el permiso de comercialización y que, sin duda, son los que han pasado por un mayor número de controles. La FAO, por su parte, indica que los países en los que se han introducido cultivos transgénicos en los campos no han observado daños para la salud o el medioambiente. Además, los granjeros usan menos pesticidas o pesticidas menos tóxicos, reduciendo así la contaminación de los suministros de agua y los daños sobre la salud de los trabajadores, permitiendo también la vuelta a los campos de los insectos beneficiosos. Algunas de las preocupaciones relacionadas con el flujo de genes y la resistencia de plagas se han abordado gracias a nuevas técnicas de ingeniería genética.

Los diferentes alimentos transgénicos incluyen genes diferentes insertados en formas diversas. Esto significa que cada alimento transgénico y su inocuidad se evalúan individualmente. Los alimentos actualmente disponibles en el mercado internacional han pasado las evaluaciones de riesgo, por lo que no es probable que presenten problemas para la salud humana. Además, no se han demostrado efectos sobre la salud como resultado del consumo en los países donde fueron aprobados. Aun así, de forma continuada se hace un seguimiento de acuerdo con los principios del *Codex*. El *Codex alimentarius* es una colección reconocida internacionalmente de estándares, códigos de prácticas, guías y otras recomendaciones relativas a los alimentos, su producción y seguridad alimentaria, con el objetivo de proteger al consumidor. Oficialmente, este código se mantiene al día conjuntamente por la FAO, organismo perteneciente a las Naciones Unidas, y por la OMS, cuyo objeto, ya desde 1963, es la protección de la salud de los consumidores y asegurar las buenas prácticas en el comercio internacional de alimentos.

El proceso de autorización de los alimentos transgénicos es el más exigente, caro y largo de todos. De hecho, si a cualquier alimento se le hiciera pasar por el mismo proceso, los supermercados estarían vacíos. Por ejemplo, el cacahuete. Hay gente que, si lo come, se muere, porque es un alérgeno potente, una de las muchas cosas que se tienen en cuenta en el proceso de autorización. Otro: los kiwis. Llegaron a Europa en 1986, pero luego se vio que había gente alérgica a los kiwis; si fuesen alimentos transgénicos no se habrían autorizado nunca.

Los tomates tienen genes y te los comes

¿Cómo crece un tomate? ¿Qué le da su color, su sabor, su aroma? Para los que tienen cultura científica, la respuesta está en el material genético del núcleo de sus células: los genes; desgraciadamente, la mayoría de los españoles no lo sabe. Según el resultado de la encuesta sobre biotecnología que en 2002 presentó la Fundación BBVA, ocho de cada diez españoles opinan que los «tomates ordinarios» que comen «no tienen genes, en tanto que los tomates modificados genéticamente, sí». Solo el 31 % de los españoles reconoció que se comería un «tomate con genes».

El resultado de la encuesta no fue mucho mejor en el resto de los países: Alemania, Francia, el Reino Unido, Italia, Austria, Holanda, Polonia y Dinamarca. Solo en este último se llega al aprobado: un 58,8 %

233

de los mil quinientos encuestados acertaron la respuesta. El último país, por detrás de España, es Polonia, con el 18,5 % de aciertos.

En una conferencia que di sobre alimentación, un asistente me preguntó si al consumir alimentos transgénicos, los genes que se introdujeron en su ADN podrían acabar metiéndose en nuestro ADN y causarnos daño. La respuesta es no. Cuando comemos, en el proceso de digestión, las proteínas, los hidratos de carbono, los ácidos nucleicos que conforman el ADN, etc., se dividen en unidades pequeñas que luego metabolizamos. Es decir, se transforman en otras cosas que nos sirven de alimento. No migran a nuestro ADN, ni hacen un proceso de ingeniería genética y se introducen en él. Esto es imposible, no tiene sentido.

Pensar que un pedazo de ADN de lo que comemos se puede introducir en nuestro ADN es una idea peregrina. Todos los seres vivos tienen ADN, y el ADN está formado por genes. Es decir, cada vez que te tomas un tomate, una manzana o una merluza a la gallega, estás comiéndote sus genes, y obviamente no adquieres características genéticas del tomate, de la manzana ni de la merluza. Todo lo que comemos tiene genes.

Los alimentos transgénicos no causan alergias

Los alimentos transgénicos no deben causar más alergia que la que puede producir la planta original de la que procede. La introducción de un nuevo gen o genes en una planta, mediante hibridación o mediante ingeniería genética, no supone necesariamente que la nueva planta tenga que producir alergia. De hecho, una planta transgénica generada mediante ingeniería genética tiene menos posibilidades de producir alergia que una nueva planta producida por métodos convencionales de hibridación. Esto se debe a que el número de proteínas nuevas producidas como consecuencia de esta modificación genética es mucho menor; de hecho, en algunos casos se introduce una sola proteína.

Si el consumidor no es alérgico a los productos derivados de una planta no transgénica, es altamente improbable que sea alérgico a los

234

productos o derivados de la misma planta, pero que ha sido modificada genéticamente. Por otro lado, hay que insistir en que la modificación genética implica la adición o modificación de un reducido número de genes que están perfectamente identificados y caracterizados, y sus efectos alergénicos pueden ser evaluados y preestablecidos por los comités nacionales de bioseguridad. Hay más garantías en el consumo de una nueva variedad transgénica que en el uso de cualquier otra planta nueva no transgénica que se pueda consumir por primera vez.

El caso del arroz dorado y los grupos ecologistas

El arroz dorado es un arroz transgénico desarrollado para paliar el déficit de vitamina A que sufren las poblaciones que se alimentan casi exclusivamente de este cereal. Esta deficiencia es la causa de que miles de niños se queden ciegos cada año por xeroftalmia o ceguera seca. Este proyecto implica utilizar muchísima tecnología y muchas patentes, por lo que se acordó financiarlo con un consorcio público y ceder todas las patentes y semillas a los beneficiarios; por lo tanto, no depende de ninguna gran empresa, es un esfuerzo de muchas organizaciones sin ánimo de lucro, ONG y organismos públicos.

El desarrollo de esta tecnología ha sido muy lento. Implica realizar cruces con variedades locales para facilitar su cultivo en diferentes países. Un cultivo transgénico es el alimento más evaluado de la historia de la humanidad, y el arroz dorado no es una excepción. Lleva bastante tiempo siendo sometido a diferentes tipos de ensayos. Antes de cultivarlo a gran escala necesitamos saber si las variedades generadas acumulan la suficiente provitamina A, qué biodisponibilidad tiene y, por supuesto, aunque la posibilidad sea mínima, si tiene cualquier tipo de toxicidad.

El arroz dorado está libre de patente y es gratuito para fines humanitarios. Los científicos que lo desarrollaron por primera vez fueron Ingo Potrykus y Peter Beyer, financiados por Syngenta (una de las principales empresas del sector). Los científicos renunciaron a las ganancias económicas que les hubiera reportado patentar la técnica, y Syngenta lo ofrece de forma gratuita siempre y cuando el fin sea humanitario.

Cuando se anunció que se estaba realizando un ensayo clínico alimentando a niños con arroz dorado, Greenpeace emprendió una agresiva campaña a nivel mundial para denunciar que la pérfida industria transgénica está utilizando a niños como cobayas y envenenándolos con transgénicos. Greenpeace España también siguió al dictado esta campaña y se posicionó en contra de la investigación. La presión logró frenar el desarrollo del estudio.

No hay duda de que aquí Greenpeace vuelve a hacer gala de toda su fuerza propagandística y a dejar de lado la ciencia y el potencial humanitario de ciertas tecnologías. Greenpeace alegó que el problema, además de los transgénicos, era utilizar niños en los estudios. Esto es demagógico, ya que hay miles de niños que forman parte de ensayos clínicos, por razones obvias. Estos estudios nos dirán qué tratamiento y qué dosis es más efectiva para ellos. Así es como se hacen los ensayos clínicos de cualquier tratamiento para enfermedades infantiles, con niños participando en la investigación. No hay nada fuera de lo común, y trataron el asunto como si estos niños fuesen cobayas. No tiene sentido que justifiquen su campaña diciendo que protegen a los niños. Y es hipócrita utilizar toda su fuerza publicitaria para bloquear un estudio nutricional potencialmente beneficioso para los pequeños.

La peculiar política europea sobre transgénicos

El fracaso de la política agraria europea se puede resumir en una paradoja. El objetivo principal de la Estrategia de Lisboa es dotar a la Unión Europea de una economía basada en el conocimiento, la más competitiva y dinámica del mundo. La Estrategia de Lisboa reconoce específicamente el potencial de los organismos genéticamente modificados (OMG). Por otra parte, la Política Agraria Común (PAC) pretende asegurar el abastecimiento de la población europea de productos de alta calidad y seguros a precios razonables y a los agricultores, un nivel de vida bueno, conservando el patrimonio rural europeo.

Pero el resultado es que los OMG están, salvo excepciones, prácticamente proscritos, beneficiando a países de fuera de la Unión Europea, que los utilizan y que luego nos venden a menor coste. Se han desoído los informes favorables al cultivo de transgénicos de la EFSA y de las principales instituciones científicas. Se priva a los agricultores del derecho a escoger y de la posibilidad de competir en igualdad de oportunidades al impedir que siembren variedades, y se beneficia al agricultor extracomunitario, puesto que se permite la importación de esos mismos productos. La actual política de transgénicos también consigue una agricultura menos sostenible, puesto que el rechazo a estos implica en muchos casos un mayor uso de plaguicidas y fertilizantes. La PAC perjudica al agricultor europeo al aplicar unas regulaciones para los cultivos transgénicos producidos en la Unión Europea y otras para los mismos productos transgénicos si son importados, socavando su propia competitividad.

Además, la política de la Unión Europea no se basa en el producto, sino en el proceso; bloquea el desarrollo de productos potencialmente tan interesantes como el arroz dorado, el trigo apto para celíacos o las plantas con capacidad para producir fármacos.

Las exigencias legales impuestas por la Unión Europea y algunos otros países, así como las campañas de oposición lideradas por grupos ecologistas y el escaso apoyo social a este tipo de cultivos, explican el número reducido de variedades transgénicas autorizadas en Europa y el relativamente reducido peso de los cultivos de maíz transgénico en relación con el conjunto de cultivos de variedades no transgénicas. España es un caso particular, ya que concentra el 95 % del cultivo de maíz transgénico de tipo BT —el llamado maíz transgénico MON 810, creado por la compañía Monsanto—. Esto tiene una razón de ser, y es que es resistente a la plaga del taladro, un problema con el que los agricultores españoles tienen que lidiar.

Frente a la escasa simpatía europea por los transgénicos, países como Estados Unidos, Brasil, Argentina, Canadá o la India se han convertido en líderes mundiales de este tipo de variedades.

No es fácil encontrar alimentos transgénicos en los supermercados europeos. De hecho, algunos siguen mostrando, orgullosos, la etiqueta de «Este producto no contiene transgénicos», a sabiendas de que esa etiqueta es ilegal. En la actualidad, en la Unión Europea solo se cultiva un transgénico, el famoso maíz MON 810. Sin embargo, se importan ochenta y una variedades producidas fuera del continente, como maíz, soja, colza, remolacha o algodón. En los supermercados podemos encontrar a la venta el maíz y algún derivado de la soja, ambos claramente etiquetados como transgénicos. En cambio, el 95 % del maíz transgénico se usa para comida de animales.

¿Los alimentos transgénicos son la solución al hambre?

Lo cierto es que los cultivos biotecnológicos no son la solución al hambre en el mundo, pero sí parte de una solución de la que no se debe prescindir, ya que contribuyen a aumentar las cosechas del mundo desarrollado y en vías de desarrollo. Ya hay bastantes pruebas de que esta capacidad tecnológica es real para las poblaciones rurales más pobres. Aún hay más de ochocientos millones de personas que sufren una desnutrición crónica, y otras muchas con una dieta pobre, y los OMG pueden desempeñar un papel importante en el desarrollo de cultivos que resistan mejor las plagas de insectos, que sean más resistentes a las condiciones del entorno, y que ayuden a aumentar el rendimiento. La FAO ha informado de que antes de 2050 la producción de alimentos tendrá que haber crecido más del 70 % con muy pocos incrementos de superficie de cultivo. Es decir, habrá que aumentar los rendimientos de las cosechas con un modelo de producción ambientalmente sostenible. Son unos objetivos difíciles de alcanzar, pero más esperanzadores gracias a la biotecnología.

LOS TRANSGÉNICOS NO SOLO SIRVEN COMO ALIMENTO

Hoy en día podemos encontrar múltiples organismos modificados genéticamente en el mercado; la ropa, los artículos de higiene íntima o los billetes de euros proceden de algodón transgénico; fármacos como la insulina, que utilizan las personas diabéticas, se producen mediante ingeniería genética, una técnica que también está presente en las enzimas que se usan en los detergentes, en los zumos para eliminar los grumos o en los vaqueros para darles el toque del conocido lavado a la piedra.

Conclusión

Siempre hemos domesticado especies, desde el origen de la agricultura a la actualidad. La biotecnología es una herramienta más, claramente la más sofisticada de todas. No va a ser la solución del hambre en el mundo, porque ese es un problema multifactorial; no solo depende de aumentar la productividad agrícola; podría ayudar, pero solo en parte.

Los transgénicos ayudan a los agricultores en varios frentes: hacen que sus cultivos sean más productivos a un coste menor, y pueden cultivarlos sin necesidad de emplear fitosanitarios, sin hacer rotaciones de cultivo y sin agotar los suelos. Para los consumidores también hay transgénicos que ofrecen ventajas, más allá de la rebaja de los precios, como pueden ser cereales sin gluten, alimentos enriquecidos con antioxidantes o el arroz dorado. Y más allá de la alimentación, los transgénicos se utilizan en otros sectores, entre ellos la medicina; la insulina gracias a la que sobreviven muchos diabéticos es transgénica.

Con respecto a la seguridad, tampoco hay nada de lo que preocuparse. Los alimentos transgénicos pasan por unos estrictos controles sanitarios antes de salir al mercado. Son los ensayos más largos y costosos por los que pasa un alimento, con el fin de garantizar que sean idóneos para el consumo. Todas las autoridades sanitarias del mundo están de acuerdo en que los alimentos transgénicos son tan seguros como su correspondiente alimento convencional.

El principal impacto medioambiental de la agricultura (la agricultura tradicional sin especies transgénicas) es el uso excesivo de fitosanitarios para controlar plagas y maleza. Su mal uso acaba con estas sustancias en los acuíferos, contaminando suelos y exterminando a ciertas especies. Con los transgénicos, este tipo de problemas medioambientales ocasionados por la agricultura se minimizan.

La biotecnología, y dentro de ella los transgénicos, es lo mejor que tenemos para cuidar el medioambiente, optimizar las cosechas y reducir el impacto de la agricultura.

Bouis, H., «The Potential of Genetically Modified Food Crops to Improve Human Nutrition in Developing Countries», en *The Journal of Development Studies*, enero de 2007, 43(1), págs. 79-96.

Broderick, N.; Raffa, K.; y Handelsman, J., «Midgut Bacteria Required for Bacillus Thuringiensis Insecticidal Activity», en *PNAS*, 2006, 103(41), págs. 15.196-15.199.

Emtage, J. S.; *et al.*, «Synthesis of calf prochymosin (prorennin) in Escherichia coli», en *Proceedings of the National Academy of Sciences of the United States of America*, junio de 1983, 12, págs. 3.671-3.675.

Fundación Antama, «La leyenda negra de los transgénicos», en Fundación Antama, 22 de junio de 2015, <fundacion-antama.org/leyenda-negra-transgenicos-mitos-biotecnologia-agraria-fundacion-antama/>.

Herring R. J., «Opposition to Transgenic Technologies: Ideology, Interests, and Collective Action Frames», en *Nature Reviews Genetics*, 2008, 9, págs. 458-463.

—, (comp.), *Transgenics and the Poor: Biotechnology in Development Studies*, Oxford, Routledge, 2007.

Kuiper, H. A.; Noteborn, H.; y Peijnenburg, A., «Adequacy of Methods for Testing the Safety of Genetically Modified Foods», en *The Lancet*, 16 de octubre de 1999, 354(9187), págs. 1.315-1.316.

MedlinePlus, «Alimentos transgénicos», en MedlinePlus, s.f., <https://medlineplus.gov/spanish/ency/article/002432.htm>.

Mulet, J. M., *Transgénicos sin miedo*, Barcelona, Destino, 2017.

—, «Greenpeace y Monsanto: la extraña pareja», en *Los productos naturales ¡vaya timo!*, 24 de septiembre de 2012.

Schenkelaars, Piet; y Wesseler, Justus, «Farm-level GM, Coexistence Policies in the EU: Context, Concepts and Developments», en *EuroChices*, 18 de abril de 2016.

Watson, J. D.; Baker, T. A.; Bell, S. P.; Gann, A.; Levine, M.; y Losick, R., *Molecular Biology of the Gene*, San Francisco, Benjamin Cummings, 2004.

24. Los alimentos naturales no llevan aditivos
Mitos de la salud

Viendo la televisión me topé con el anuncio de una conocida empresa de productos lácteos. En el anuncio se dice que la palabra *natural* estaba perdiendo su significado. Se refieren al lenguaje coloquial, a qué queremos decir cuando hablamos de que algo es *natural*.

A continuación, aparecen una serie de escenas cotidianas. Una mujer, sosteniendo un bote de cristal, dice: «Si caduca en veinte años, ¿es natural?». Un adolescente, tomándose un lácteo con chocolate y observando la etiqueta del producto, exclama, sonriente: «¡Anda! No tiene ningún E», dando a entender que, si algo es natural, no lleva aditivos y que por eso es mejor, entendiendo *mejor* como sano, saludable, seguro. Así que, cuantos menos E figuren en la etiqueta de un producto, mejor. ¿Seguro?

¿QUÉ APARECE EN LA ETIQUETA DE LOS ALIMENTOS?

Las listas de ingredientes, así como la información nutricional, están presentes en la etiqueta de los alimentos. Todos los alimentos han de etiquetarse de acuerdo con una normativa. Salvo excepciones —que no voy a detallar y que se pueden consultar en el reglamento—, la normativa sobre etiquetado incluye:

Información nutricional
　Los elementos que hay que declarar de forma obligatoria son: el valor energético, las grasas, las grasas saturadas, los hidratos de carbono, los azúcares, las proteínas y la sal. La declaración habrá de realizarse obligatoriamente por cien gramos o por cien mililitros, lo que permite la comparación

entre productos; se puede añadir además la decoración «por porción» de forma adicional y con carácter voluntario.

La información nutricional obligatoria se puede complementar voluntariamente con los valores de otros nutrientes, como ácidos grasos monoinsaturados y poliinsaturados, polialcoholes, almidón, fibra alimentaria, vitaminas o minerales.

Ingredientes

En los productos manufacturados, formados a partir de la mezcla y transformación de materias primas, como embutidos, derivados lácteos, galletas, etc., han de figurar todos los ingredientes. El orden en el que aparecen responde a su abundancia en el producto, de mayor a menor cantidad.

Aparecen en negrita los ingredientes que son alérgenos potenciales, como los frutos secos, el marisco, la mostaza, la soja, etcétera.

Están exentos de etiquetado con información nutricional e ingredientes: las bebidas alcohólicas, los productos frescos y los productos a granel —como las frutas, las verduras, la carne y el pescado fresco—, y los productos de reducido tamaño, como los sobres individuales de salsas, las galletas, etc., que se emplean en hostelería, a excepción de los alérgenos, que figuran en negrita.

¿Para qué llevan aditivos los alimentos?

Entre los ingredientes que han de figurar en el etiquetado, nos encontramos con los E, los aditivos alimentarios.

Los aditivos alimentarios son sustancias que se añaden a los alimentos con diferentes funciones. Estas funciones cumplen esencialmente tres objetivos:

- Mejorar características organolépticas del alimento, como son el sabor, el color, el aroma o la textura. Entre ellos encontramos espesantes, colorantes, aromatizantes, edulcorantes, saborizantes, etcétera.
- Optimizar aspectos tecnológicos del alimento y su elaboración. Entre ellos encontramos emulsionantes, espesantes, gelificantes, antiaglutinantes, etcétera.
- Garantizar la seguridad y conservación del alimento. Entre ellos, se cuentan antioxidantes, acidulantes, conservantes, etcétera.

242

- Proporcionar los ingredientes o constituyentes necesarios para los alimentos fabricados para grupos de consumidores que tienen necesidades dietéticas especiales.

Cada aditivo se denomina, por normativa, con su correspondiente E seguida de tres o cuatro cifras alfanuméricas. La primera cifra indica la función de ese aditivo, y las siguientes informan de qué sustancia en concreto se trata. Los que comienzan por 1 son colorantes, por 2 conservantes, por 3 antioxidantes, por 4 edulcorantes y texturizantes, etcétera.

El uso de conservantes ha supuesto uno de los mayores avances en seguridad alimentaria. Por poner un ejemplo: en los productos vegetales en conserva, es relativamente sencilla la proliferación de las bacterias responsables del botulismo, una intoxicación alimentaria mortal. La adición de sustancias antioxidantes a estas conservas dificulta el desarrollo de esta bacteria, garantizando la seguridad de su consumo.

Otro ejemplo de las ventajas que han supuesto los conservantes lo encontramos en otra de sus funciones. Además de evitar indeseables proliferaciones bacterianas, también evitan la degradación nutricional y ayudan a que el producto mantenga durante más tiempo la calidad y la cantidad de nutrientes originales.

¿Son seguros los aditivos?

Que una sustancia se denomine aditivo alimentario y tenga su propio número E implica que la EFSA ha evaluado si es segura para la salud. El sistema de números E se utiliza además como una manera práctica de etiquetar de forma estándar los aditivos permitidos en todos los idiomas de la Unión Europea.

A nivel internacional, la normativa sobre aditivos se rige por los mismos principios. Está recogida en el *Codex alimentarius*, que depende de la OMS y de la FAO. El código alfanumérico que se emplea es el mismo en todo el mundo.

Existe una lista de aditivos alimentarios permitidos, así como de las dosis evaluadas que no suponen ningún riesgo para la salud, ni a corto ni a largo plazo, en qué alimentos pueden emplearse y con qué propósito. De hecho, las dosis se miden en función de las cantidades que podríamos consumir diariamente a lo largo de toda nuestra vida sin que ello supusiese un peligro.

Las medidas que se emplean son, principalmente, la ingestión diaria admisible (IDA), que es una estimación de la cantidad de aditivo alimentario, expresada en relación con el peso corporal, que una persona puede ingerir diariamente durante toda la vida sin riesgo apreciable para su salud. Y la dosis máxima de uso de un aditivo, que es la concentración más alta de este que se ha determinado que es funcionalmente eficaz en un alimento o categoría de alimentos y que se ha acordado que es inocua. Por lo general, se expresa como miligramos de aditivo por kilo de alimento.

Cuando el aditivo alimentario se emplea en alimentos destinados a grupos especiales de consumidores (por ejemplo, diabéticos, personas con regímenes alimenticios médicos especiales, personas enfermas con regímenes alimenticios líquidos), se tiene en cuenta la ingestión diaria probable del aditivo por parte de esos consumidores.

Esta lista, además, se revisa periódicamente, con lo que, si se encontrase algún indicio de peligrosidad en alguna sustancia o en las cantidades empleadas, se corregiría inmediatamente, con la consecuente retirada del mercado de los productos que la contuviesen.

No se puede comercializar ningún alimento que contenga un aditivo que no esté en la lista de permitidos. Gozamos de un sistema que vela por nuestra salud alimentaria, por lo que tenemos la seguridad de que cualquier alimento que consumamos, lleve o no lleve aditivos, va a ser seguro. Gracias a todos los controles sanitarios por los que pasan los alimentos antes de llegar al mercado, podemos afirmar con rotundidad que los alimentos actuales son más seguros que nunca.

Cómo explicar de forma sencilla que los aditivos son seguros

Cuando conocemos cómo funcionan y cómo se evalúan los aditivos alimentarios, sabemos que su presencia no es indicativa, ni de menor calidad, ni de menor seguridad. Pero ¿cómo se lo hacemos entender a alguien que duda sistemáticamente de esto? He encontrado dos estrategias que nunca fallan.

Primera estrategia

Cuando tengo conversaciones sobre la seguridad de los aditivos alimentarios suelo recurrir al mismo ejemplo, por clarificador.

Si en la lista de ingredientes de un producto encontramos E-300, si no conocemos toda esta información sobre aditivos, es habitual e incluso comprensible dudar de su seguridad. Cuando desconocemos algo, lo natural es que seamos precavidos.

El E-300 es la nomenclatura que designa al ácido ascórbico. Podemos quedarnos igual que estábamos, o peor, ya que una sustancia ácida da cierto respeto.

El E-300, además de llamarse ácido ascórbico, tiene otro nombre, un nombre que nos resulta mucho más familiar: vitamina C. La vitamina C no nos da ningún miedo, todo lo contrario.

Vitamina C, ácido ascórbico y E-300 son tres denominaciones distintas para una misma sustancia.

El E-300, la vitamina C, se utiliza habitualmente como antioxidante en los productos manufacturados. Cuando hace esa función como aditivo alimentario hay que denominarlo E-300 o ácido ascórbico, porque así lo determina la normativa del etiquetado.

Segunda estrategia

Mostrar la lista de ingredientes de un alimento sin procesar, algo que se asocie con lo *natural*, como una manzana, un plátano o un huevo. Estos alimentos no tienen que llevar etiqueta, así que no encontrarás la composición en el supermercado, pero sí en una búsqueda rápida por internet.

Para que sirva de ejemplo, a continuación voy a citar los ingredientes de un plátano, tal y como deberían aparecer en la etiqueta si pudiésemos fabricar los plátanos nosotros mismos a partir de todos los compuestos que lo forman: «Agua, 75 %; azúcares, 12 % (de los cuales, glucosa, 48 %; fructosa, 40 %; sacarosa, 2 %; maltosa, < 1 %); almidón, 5 %; fibra E460, 3 %; aminoácidos, < 1 % (ácido glutámico, 19 %; ácido aspártico, 16 %; histidina, 11 %; leucina, 6 %; lisina, 5 %; fenilalanina, 4 %; arginina, 4 %; valina, 4 %; alanina, 4 %; serina, 4 %; glicina, 3 %; treonina, 3 %; isoleucina, 3 %; prolina, 3 %; triptófano, 1 %; cistina, 1 %; tirosina, 1 %; metionina, 1 %); ácidos grasos, 1 % (ácido palmítico, 30 %; ácido graso omega-6: ácido linoleico, 14 %; ácido graso omega-3: ácido linoleico, 8 %; ácido oleico, 7 %; ácido palmitoleico, 3 %); ácido esteárico, 2 %; ácido láurico, 1 %; ácido mistírico, 1 %; ácido cáprico, < 1 %; ceniza, < 1 %; fitoesteroles; E-515; ácido oxálico; E-300; E-306 (tocoferol); filoquinona; tiamina; colorantes (amarillo-naranja E-101 [riboflavina], amarillo-marrón E-160A); sabores (etanoato de 3-metil-but-1-ilo, etanoato de 2-metilbutilo, 2-metilpropan-1-ol, 3-metilbutil-1-ol, butanoato de 2-hidroxi-3-metiletilo, 3-metilbutanal, etilhexanoato, etilbutanoato, acetato de pentilo); agente de maduración natural (gas etileno)».

En la lista de ingredientes figura una gran cantidad de números E, además de otras sustancias que pueden parecernos más o menos reconocibles. Si sospechásemos de su seguridad y su salubridad, por la enorme cantidad de sustancias catalogadas como aditivos alimentarios, estaríamos cometiendo un error. Ese alimento es un plátano, un plátano normal y corriente. Podríamos aplicar este método a muchos otros alimentos *naturales*, así que la cantidad de números E no indica que un alimento sea mejor o peor, *natural* o no.

Conclusión

Los productos lácteos que aparecen en el anuncio de televisión «no tienen ninguna E» y por eso algunos entenderán que son productos *naturales*. Algunos de nosotros, los que quizá hablamos otra lengua o sencillamente tenemos cultura científica, somos más conscientes de que efectivamente, tal y como dice el anuncio, «la palabra *natural* está perdiendo su significado».

Los responsables de este mal uso de la palabra somos todos, vendedores y consumidores. Los vendedores son responsables por aprovecharse y promover el desconocimiento sobre aditivos alimentarios, llevando a cabo una estrategia de marketing populista y que fomenta la errónea y alarmista idea de que hay ciertos ingredientes inseguros en nuestros alimentos. Y los consumidores somos responsables por demandar y promover productos basados en ese desconocimiento.

Si vamos a comprar un alimento, nos fijamos en la lista de ingredientes y descartamos la compra porque este contiene E, estamos marcando una tendencia de consumo. Lo estamos demandando por desconocimiento. Promovemos una actitud en el mercado que es ilógica, pero que obviamente tendrá éxito. Cuando un número importante de consumidores demandamos productos sin E, los productos sin E se fabrican y llegan al mercado. Los consumidores también somos responsables. Nuestras decisiones, lo que demandamos, es determinante para lo que las empresas nos ofrecen.

No echemos balones fuera: conocer o desconocer es opcional. Cuantas más cosas conocemos, mejores decisiones tomamos.

PRINCIPALES FUENTES CONSULTADAS

AECOSAN, «Seguridad alimentaria», en Agencia Española de Consumo, Seguridad Alimentaria y Nutrición, Ministerio de Sanidad, Servicios Sociales e Igualdad, <www.aecosan.msssi.gob.es/AECOSAN/web/subhomes/seguridad_alimentaria/aecosan_seguridad_alimentaria.htm>.

OMS y FAO, Norma general para los aditivos alimentarios, Codex Stan 192-1995, Organización Mundial de la Salud y de la Organización de las Naciones Unidas para la Alimentación y la Agricultura, 1995 (revisado en 1997, 1999, 2001, 2003, 2004, 2005, 2006, 2007, 2008, 2009, 2010, 2011, 2012, 2013, 2014, 2015, 2016), <www.fao.org/gsfaonline/docs/CXS_192s.pdf>.

Schwarz, Mauricio José, «La quimiofobia y los alimentos totalmente naturales», en *Naukas*, 25 de enero de 2014, <http://naukas.com/2014/01/25/la-quimiofobia-y-los-alimentos-totalmente-naturales/>.

Unión Europea, Unión Europea, Reglamento (UE) 1169/2011 del Parlamento Europeo y del Consejo de 25 de octubre de 2011, en *Diario Oficial de la Unión Europea*, 304, 22 de noviembre de 2011, págs. 18-63.

Epílogo

Muchos de los mitos que he tratado de desmentir a lo largo de mi vida han cambiado no solo mi forma de enfrentarme a la información y de buscar respuestas, sino que han alterado mi modo de entender cómo funciona el mundo a muchos niveles. Desde cómo funciona la ciencia a cómo lo hace nuestra cabeza antes de asumir que estábamos equivocados.

Otro aspecto importante, posiblemente el más importante de todos, es que he aprendido a valorar el «no lo sé». Porque cuando no sabes lo suficiente sobre algo, cuando no tienes conocimientos sobre un tema, lo poco que sepas puede llevarte a equívoco. Reconocer que no sabes algo, aunque solo sea para tus adentros, es prudente y necesario. Muchos de los mitos con los que me he tropezado tenían apariencia de ciencia. Y ese disfraz científico es muy difícil de apreciar si lo que te cuentan te suena de algo. Con frecuencia es casi peor que cuando algo no te suena de nada. Esa es una de las razones por las que algunas personas con formación a menudo creen en mitos y es tan complicado hacerlas entrar en razón.

Otra cosa que he aprendido es que nadie es inmune a las creencias o a los engaños. Absolutamente todos hemos estado, estamos y estaremos equivocados en muchas cosas, y todos somos susceptibles de ser engañados, sobre todo cuando ansiamos creer que algo puede ir mejor de lo que va. Me refiero a enfermedades y a otras desventuras de la vida bastante más relevantes que lo saludable que pueda resultar tomarse un zumo con el desayuno.

Cuando descubres que algo en lo que creías era un mito, una creencia equivocada, es cuando empiezas a tomar decisiones, unas veces cambiando un hábito, otras simplemente haciendo lo mismo, pero con conocimiento de causa.

Cuando percibo en alguien que es consciente, verdaderamente consciente, de que puede estar equivocado, veo en él humildad. La humildad es una de las virtudes que merecen mayor respeto. Una persona humilde es consciente de las limitaciones de sus conocimientos, por muy amplios y profundos que puedan parecer. Cuando eres verdaderamente consciente de que puedes estar equivocado es que escuchas más que hablas, es que estás dispuesto a aprender, no solo a enseñar.

Excusas no solicitadas

Probablemente has echado en falta algunos mitos. En este libro no he mencionado varias prácticas anticientíficas de alarmante vigencia, como la acupuntura, el reiki y otros cuentos chinos. Tampoco he mencionado la astrología ni a los brujos que ven el futuro en bolas de cristal; los he obviado voluntariamente.

La razón es simple: me he puesto a mí misma como vara de medir. He seleccionado algunos de los mitos que a mí, en su día, me suscitaron dudas.

Esto no significa que los mitos que no aparecen aquí sean irrelevantes. Significa que por suerte para mí sí lo han sido. Desgraciadamente no es así para muchos. Las prácticas anticientíficas como la acupuntura, la osteopatía o las dietas alcalinas, entre otras muchas, se siguen cobrando víctimas. Hay personas que toman sus decisiones en función de lo que les diga el horóscopo, que se endeudan de por vida, engatusados por farsantes con túnica, o personas que abandonan la medicina y buscan cobijo en las ocurrencias de delincuentes que campan a sus anchas. Hay embaucadores que mienten, que dan conferencias, que venden plantas mágicas, que cuentan estrategias vitales basadas en la nada y que venden mitos y conspiraciones disfrazadas de ciencia, cordura y buen hacer.

La realidad es que hay una cantidad inabarcable de mitos e imposturas. Y hay tantos desalmados como tontos encargados de darles pábulo. Lo que yo he pretendido con la selección que he hecho no es solo derrumbar esos mitos concretos, sino ofrecer información y argumentos que pueden aplicarse a muchas otras situaciones. Por ejemplo, conocer cómo se hace un ensayo clínico, qué es el efecto placebo, cómo leer las etiquetas de los alimentos o cómo se comprueba la seguridad de un cosmético nos da perspectiva; difícilmente vamos a creer en chamanes o en absurdas conspiraciones de la industria.

Piensa más, piensa mejor

El pensamiento crítico y el escepticismo deben mirar en todas direcciones. No podemos dar por ciertas sistemáticamente las afirmaciones de «los nuestros» y por falsas las de «los otros». Hay que pedir pruebas de todo. No hay que cansarse de hacerlo. Debe ser un hábito. Si tú haces una afirmación, has de estar dispuesto a presentar pruebas. Y, si la afirmación es extraordinaria, las pruebas, como dijo Hume, también han de ser extraordinarias.

Esa actitud de prevención ante las afirmaciones de cualquiera es lo que define el pensamiento crítico. Es una cuestión de responsabilidad.

Pensar críticamente en todas direcciones no se debe confundir con equidistancia. Por ejemplo, hacer un debate televisivo en el que un antivacunas se enfrenta con un provacunas, ofrece una imagen equidistante de una cuestión sobre la que no existe tal equidistancia. El provacunas tiene pruebas que respaldan su postura, y realmente no es uno, sino que representa a la mayoría. En cambio, el antivacunas no tiene pruebas; como mucho aportará conjeturas, y representa a una minoría. Un debate de uno contra uno no encarna la realidad de las pruebas ni la de los hechos, sino que presenta una falsa dicotomía. Alguien totalmente ajeno al tema de las vacunas fácilmente puede caer en el error de creer que existe tal debate, con posturas enfrentadas igual de válidas. No es así. Ese debate no existe y es irresponsable sugerir que existe.

Pensar críticamente y en todas direcciones es exigir pruebas a unos y a otros, tratando de no dar nada por sentado. Por ejemplo, la homeopatía no es una farsa solo porque esté basada en la absurda suposición de que el agua tiene memoria; es una farsa porque no ha superado el cedazo de la prueba. A lo largo de la historia, suposiciones tan absurdas como esta han resultado ser ciertas. En su día también parecía absurdo creer que la Tierra era esférica. Hasta que se mostraron las pruebas. Yo misma creí durante más tiempo del que me gustaría admitir que la cosmética era una pantomima. Ni siquiera sabía qué era la cosmética y ya tenía un juicio negativo sobre ella. Por eso, recurro a ella con frecuencia para hablar de mitos, de pensamiento crítico o de escepticismo, porque yo no sabía y creía saber.

Hace algo más de un año me invitaron a un curso sobre pensamiento crítico en un entorno universitario. Me llamaron para dar una conferencia sobre cosmética. En un descanso, un grupo de asistentes con formación científica se acercaron a mí y me dijeron: «Vas a sacar a la luz las patrañas de la industria cosmética, ¿verdad?». Eso es lo que esperaban de mí, por eso decidí ofrecerles todo lo contrario: las pruebas. Tratándose de un curso sobre pensamiento crítico, tenía que mostrar pensamiento crítico, y, como dije al principio, no podemos dar por ciertas sistemáticamente las afirmaciones de «los nuestros» y por falsas las de «los otros». A veces «los otros» defienden supercherías fácilmente distinguibles. Sin embargo, a veces «los otros» están en ese bando por machacona repetición. Porque una mentira, repetida las veces suficientes, acaba pareciendo verdad. Tanto es así, y tanto es así para todos, que ni siquiera nos paramos a pensar en algo tan obvio como que los productos cosméticos los desarrollan científicos, que pasan controles de eficacia y seguridad, que pasan, en definitiva, por el cedazo de la prueba.

Entre los muchos ejemplos que cité en aquella conferencia, hubo uno que resultó especialmente significativo. Sobre todo para aquellos asistentes ansiosos por volver a escuchar lo que ya creían saber acerca de la industria cosmética. Como cuando te están contando un chiste que ya te sabes y esperas al final para reír, porque lo oigas las veces que lo oigas, siempre te hace gracia. Durante meses estuvieron circulando por las redes unas bromas acerca de un «champú creador

252

de materia». Empecé la conferencia mostrando el anuncio del producto y los chascarrillos que suscitó en los medios. Hubo una carcajada general entre el público. Pasadas las risas iniciales, de las que yo misma fingí participar, mostré los principios activos del dichoso champú, mostré los ensayos clínicos, las publicaciones científicas. Contra todo pronóstico, aquel mal llamado crecepelos engrosaba eficazmente el cabello. Funcionaba. De la carcajada pasamos a la sorpresa. No saqué los colores a la industria cosmética; saqué pruebas y enseñé, eso espero, un poco de pensamiento crítico.

Vivir tranquilo

Aunque pueda sonar pretencioso, una de las motivaciones que me han llevado a escribir este libro es hacer sentir tranquilidad a quien lo lee. Cuando tienes la información, tienes el poder. No solo para ti, para tu vida y tus decisiones, sino que adquieres la habilidad de argumentar y expandir el conocimiento allí por donde vas. Sientes tranquilidad cuando dejas de ver monstruos donde no los hay, malas intenciones donde no tiene sentido que las haya. Por recordar un ejemplo, ¿qué sentido tendría que una compañía alimentaria incluyese a propósito sustancias tóxicas en sus productos? Y lo mismo con la industria cosmética o la farmacéutica. ¿Hacer daño porque sí? ¿Como los villanos de los dibujos animados, que son malos sin remedio?

Cuando las cosas se hacen bien y por motivos honrosos, no hay razón para desconfiar. Tenemos que desconfiar cuando algo se nos presenta como «lo alternativo», como el azote de lo preestablecido, como lo que «te han querido ocultar». Cuando conoces cómo funcionan las cosas, estas argucias dejan de resultar convincentes. Dejas de ver monstruos y de perder el tiempo luchando contra ellos. Estás tranquilo.

> Quien con monstruos lucha cuide de no convertirse a su vez en monstruo. Cuando miras largo tiempo a un abismo, el abismo también mira dentro de ti.
>
> FRIEDRICH WILHELM NIETZSCHE